D1354528

L'Ombre s'étend sur la Montagne

Par

Édouard Rod

Paris

Nelson, Éditeurs

189, rue Saint-Jacques

Londres, Édimbourg et New-York

ÉDOUARD ROD
né en 1857

———

Première édition de « L'Ombre s'étend
sur la Montagne » : 1907

TABLE

QUATRIÈME PARTIE

PREMIÈRE PARTIE

I

UN COUCHANT SUR LA JUNGFRAU

LA lutte de l'ombre et de la lumière se poursuit chaque soir sous nos yeux. Selon l'éclat de la journée ou la magnificence du décor, le drame passe inaperçu ou prend des accents pathétiques, comme si le meurtre invisible du dieu du Jour ensanglantait l'espace. Dans l'un et l'autre cas, nous en connaissons d'avance les péripéties : elles ne diffèrent que par leur intensité. La lumière doit périr : quelque ensoleillé qu'ait été le ciel de midi, l'ombre triomphe au dénouement. Nous la voyons à son heure monter des choses et les envelopper, s'étendre sur la montagne, sur la plaine ou sur les eaux, pareille aux suaires que nous jetons sur nos morts. Ce drame quotidien que nous offre la nature reproduit celui de notre destinée : le soir arrive pour toutes les vies, quand elles ne sont pas tronquées par un de ces accidents où s'affirme la capricieuse brutalité du sort. Il en est qui s'éteignent comme de pâles crépuscules : à peine distingue-t-on l'instant où l'ombre absorbe les dernières lueurs qu'ont déjà noyées les brouil-

lards du chagrin, du souci, de la misère. D'autres
finissent dans un rayonnement dont la splendeur
leur survit, comme il arrive quand nous voyons
l'horizon baigné d'or et de pourpre longtemps
après que le soleil en est tombé. Ces clartés illu-
soires ne sont pourtant que le reflet de l'astre
disparu : elles aussi s'effacent dans le triomphe
de la nuit. Car la nuit triomphe toujours, — la nuit
muette, aveugle et sourde où les formes s'anéan-
tissent, où les bruits se taisent, où le silence est
humide, l'obscurité pesante. Nos regards s'effor-
cent de la sonder, nos esprits de l'animer ou de
l'expliquer. Nous la peuplons de nos fantômes
et de nos dieux, nous y faisons fleurir nos rêves,
elle est propice à nos désirs. Il n'importe ! Elle est
la nuit, pleine de mystère, image de l'autre nuit
éternelle dont nous ne savons rien, qui nous guette,
nous épouvante et nous appelle. Et c'est peut-
être parce que nous pensons toujours aux ténèbres
sans fin dont elle est le symbole, que le drame
du couchant nous étreint avec tant de force quand
nous en pouvons suivre les phases éclatantes ou
mélancoliques.

Sans doute, par cette tiède soirée d'été, il
étreignait ces deux promeneurs qui l'observaient
ensemble, dans la solitude d'un belvédère alpestre.

C'était près d'Interlaken, à quelques pas au-
dessous de la ruine d'Umspunnen, si bien arrangée
avec des plantes et des pins sylvestres au sommet
de ses murs dont un art savant entretient les lé-

zardes, surveille l'éboulement. Après être montés
jusqu'aux vestiges du vieux burg, ils étaient venus
s'asseoir sur ce banc frais verni, campé au meilleur
endroit, en retrait du sentier, en face de la Jungfrau. Personne ne le leur disputa : des touristes
pressés passèrent sans les voir ; un couple d'Alle-
mands, en voyage de noces, leur jetèrent un rapide
coup d'œil. Les bruits de la vallée, — les sonnailles
de cinq ou six vaches pâturant dans un pré ou les
sabots des chevaux sur la route sonore, — leur
parvenaient trop amortis par la distance pour les
gêner. Rien ne les empêchait donc de s'abandonner
aux rêveries que leur suggérait le spectacle, d'y
chercher peut-être de secrètes correspondances
avec les jeux de leur propre destin. Les montagnes
du premier plan, dont les lignes presque régulières
encadrent la Jungfrau, commençaient à se vêtir
d'une ombre translucide qui montait le long de
leurs flancs boisés, vers les pâturages encore
éclairés des sommets. L'une d'elles, à droite, qu'on
nomme le Moine noir, échancrait rudement, d'un
coup de son arête gibbeuse, la masse blanche des
glaciers, qu'entamait de l'autre côté le corps
mouvant d'un fantasque nuage gris. Mais un
rayon du jour pâlissant frappait en plein la cime,
les plus hauts épaulements, certaines parties des
parois dont il marquait crûment les replats, les
éperons, les saillies, les cheminées. Une coulée de
neige, confondue avec le nuage, semblait un
énorme lingot d'argent en fusion, dont l'incan-

descence irisait les vapeurs opalines qui flottaient
sur la montagne, tandis que l'ombre s'épaississait
dans la vallée, où, parmi les chalets clairsemés,
aux toits brique, un hôtel neuf mettait une lourde
tache écrue, juste au pied du Moine noir.

Dans ce commencement de crépuscule, dans
cette solitude, les deux figures des promeneurs se
détachaient avec un relief singulier.

Serré dans son léger pardessus gris, l'homme
avait une nerveuse figure expressive et pourtant
réservée, comme si une volonté, trop intermittente
pour réussir toujours, en surveillait constamment
les muscles agiles, les traits changeants, s'appli-
quant à les figer dans une immobilité bientôt
dérangée. Une barbe et des cheveux abondants,
légèrement ondulés, autrefois blonds, mais un peu
décolorés et striés de fils d'argent, lui donnaient
une faible ressemblance avec la tête traditionnelle
du Christ dans les peintures de la Renaissance
italienne : un Christ très dépendant de son hu-
manité, en qui se fussent mêlés, dans des proportions incertaines, le calme et l'inquiétude, la force
et la faiblesse, l'agitation et la sérénité. Les yeux
brun clair, pailletés d'or, prenaient volontiers une
expression lointaine, — infranchissable, — comme
s'ils cherchaient à condenser leurs regards sur les
spectacles de la vie intérieure ; et cette expression
pouvait devenir très vite, suivant l'émotion,
étonnée, candide ou mélancolique. Le petit chapeau de paille cachait un front superbement

modelé, dont les saillies se dessinaient en vigueur,
comme dans ces marbres d'où le ciseau du sculp-
teur fait jaillir à son gré la passion ou la pensée.
La courbe un peu brusque du nez relevait d'un
dernier accent plus énergique l'ensemble de la
physionomie. De nombreux portraits avaient
popularisé cette figure d'artiste. Dans les rues
d'Interlaken, dans les jardins d'hôtel, on la
désignait volontiers à la curiosité des passants :

— C'est Frantz Lysel, le grand violoniste !

Tout à l'heure, deux étudiants suisses, en cas-
quettes blanches, qui descendaient d'Umspunnen,
s'étaient poussés du coude en l'apercevant :

— Frantz Lysel ! Avec qui donc est-il ?...

Et c'était bien le musicien célèbre que sa race,
la qualité de son jeu, celle de ses compositions,
peut-être aussi la pâleur parfois maladive de sa
figure et la paresse morbide de ses mouvements,
faisaient surnommer « le Chopin du violon ».

Très grande, d'une extrême sveltesse, enveloppée dans un souple manteau chatoyant, sa
compagne offrait l'image d'une figure admirable-
ment harmonieuse. Toutes les lignes s'en accordaient à dégager une impression de noblesse et
de pureté, comparable à celle que nous donnent
ces belles fleurs qui s'évasent sur une longue
tige. Les traits du visage gardaient le même caractère : la ligne presque droite des sourcils en
soulignait la régularité plutôt sévère, qu'adou-
cissait en revanche l'indicible beauté d'une bouche

un peu grande, mobile, éloquente, toujours prête
à frémir au-flux des émotions. Le teint, d'une
transparence nacrée, conservait une fraîcheur
juvénile, tandis que la chevelure, châtaine à
reflets d'or, rebelle et domptée, s'argentait et semblait poudrée à frimas. Les yeux, d'un vert de mer
profond, prenaient par moments, sous les longs
cils, des reflets couleur de pensée, quand leur
regard devenait plus intense. Ils étaient presque
toujours cernés d'une sorte de meurtrissure qui,
bleuissant le réseau des veines, leur donnait comme
un accent passionné. A cette heure, ils s'absor-
baient avec une gravité singulière dans la contemplation du paysage, comme si les jeux de la
lumière sur la neige eussent suffi à leur attention ;
mais le frémissement continu des belles lèvres
qui vibraient comme des pétales de fleurs au frôlement d'une abeille, révélait un orage sous la
surface limpide de cette eau dormante. Dans son
ensemble, cette physionomie présentait certains
contrastes d'expression assez proches de ceux
qui frappaient chez Lysel, et peut-être plus accen-
tués : on aurait pu la croire indifférente jusqu'à la
froideur, si on ne l'avait vue s'animer soudain
au point de livrer ses secrets dans un éclair ; son
effort était de se taire, et nulle volonté n'en
pouvait réprimer la frissonnante éloquence : elle
était comme un livre fermé, dont on sait qu'il
recèle toute la poésie, et que chacune de ses pages
réserve une vivante surprise. — Tandis que ses

yeux foncés restaient ainsi fixés sur les choses,
ceux de Lysel, après avoir rapidement parcouru
le panorama, revenaient sans cesse les chercher
avec une nuance d'inquiétude, comme pour saisir
de mystérieuses correspondances entre les deux
couchants : celui de la montagne et celui de la
femme, si belles toutes deux, baignées de tant de
rayons, guettées pourtant l'une et l'autre par la
nuit prochaine.

L'ombre amassée dans la vallée commençait à
gravir les flancs de la Jungfrau. Les nuages s'é-
taient épaissis : leur amoncellement menaçait tout
l'espace. On ne distinguait presque plus des glaciers
qu'une grande tache lumineuse qui perçait les
brouillards, comme si derrière leur voile s'allumait
quelque gigantesque incendie, dont les flammes
fussent d'argent.

Comme la journée qui finissait ainsi, les deux
promeneurs approchaient du soir de la vie. Lysel
en était le plus près. Leurs deux existences avaient
été remplies, pour elle par cette ardente activité
du cœur qui dévore plus que le travail et le souci,
pour lui par une tension sentimentale peut-être
égale, bien qu'équilibrée par son labeur d'artiste.
Ainsi, leurs années pesaient plus que le poids
normal. Elles avaient passé sans les réunir tout à
fait : ils en descendaient le cours comme deux
voyageurs qui suivraient les deux rives d'un
fleuve sans gué ni passerelle, séparés et tout
proches, marchant les yeux dans les yeux, s'ar-

rêtant ensemble pour sourire ou pour pleurer.
Aussi, quoiqu'ils eussent dépassé l'âge de l'amour,
leur sentiment conservait-il une part de sa fraîcheur première. Si des regards étrangers en avaient
pu saisir les invisibles reflets, ils les auraient
trouvés pareils à cette lumière argentée qui semblait faire de la montagne, dans la nuit si proche,
sous son linceul de nuages, une source vive d'éternelle clarté.

Ils se taisaient. Leur silence était aussi profond
que celui de la vallée à leurs pieds, où tous les
bruits s'étaient tus. Il était lourd et chargé comme
celui de la Jungfrau, où l'invisible travail du sol
et des eaux prépare sourdement l'avalanche. Il
était rempli de secrètes pensées que chacun lisait
dans le cœur de l'autre, avec cette habitude de
se comprendre sans paroles qu'ont les êtres qui
s'aiment de toute leur âme. Il les exprimait, ces
pensées, dans leur essence la plus intime, il les re-
vêtait de formes plus exactes que les mots : en
sorte que leurs lèvres, en le rompant, auraient
prononcé presque les mêmes paroles. Un coup de
vent le troubla, frissonna dans les sapins, tira
des plaintes de la forêt, apporta des sons lointains :
voix de touristes attardés ou de paysans revenant
du travail. Le soleil s'était caché derrière une cime
invisible. Et voici que, ce même coup de vent
écartant les nuages, la lumière se concentra, plus
crue, sur la Jungfrau, qui leur apparut plus nette,
avec les détails de sa prodigieuse architecture.

Tout à l'heure, ils ne voyaient là qu'une masse compacte d'argent en fusion, derrière des vapeurs ; maintenant, comme au geste de l'artiste qui dévoile sa statue, ils distinguaient les contreforts puissants, les hardis éperons, les plans superposés de la montagne, ses rochers qui trouaient ou gonflaient la neige, les dégradations du glacier où des grisailles indiquaient les crevasses ou les sérac, toute la construction titanesque et délicate de la formidable pyramide formée, eût-on dit, de blocs énormes, ciselés par de minutieux artistes, puis entassés par des géants dans un désordre à la fois brutal et symétrique. Vis-à-vis d'eux, de l'autre côté de la vallée, l'ombre avait recouvert jusqu'au sommet les pentes boisées du *Schynige Platte* : elle continuait son irrésistible ascension, sur les pentes de la Jungfrau qui la bravait par sa hauteur, tout en la subissant ; et l'on en voyait la tache énorme, au dessin régulier, gagner peu à peu sur la lumière avec la force tranquille de l'inévitable. Alors Lysel, se tournant à demi vers sa compagne, murmura très bas, de telle sorte que ses paroles pouvaient, selon le caprice de l'air, s'entendre ou se perdre dans l'étendue :

— L'ombre s'étend sur la montagne...

Elle se tourna vers lui tout à fait, l'enveloppa d'un regard qui, tirant de cette phrase un sens caché, la transposait du paysage insensible à leurs âmes douloureuses. Elle étendit la main comme pour en appeler, du drame dont ils étaient le

théâtre, à celui qui emportait la nature entière
vers son dénouement fatal. Ses lèvres frémirent,
de ce frémissement qui donnait à son visage une
expression si passionnée ; très bas, plus bas que
lui, dans un souffle qui parvint pourtant à son cœur
et le fit frissonner, elle répéta :

— Oui... l'ombre s'étend...

II

FRANTZ LYSEL, — un nom de fantaisie, composé
de quelques lettres extraites d'un interminable
nom slave, tout en consonnes, — possédait une
de ces célébrités étendues qui donnent parfois
aux vivants l'illusion de la gloire. Sa symphonie
Pologne, interdite en Russie et en Prusse, avait
soulevé des explosions d'enthousiasme : comme
si le miracle des sons ressuscitait pour une heure
l'âme du peuple vaincu, le souvenir de la patrie
déchirée. Plusieurs de ses autres œuvres orches-
trales, l'*Ouverture d'Iridion*, la *Prière après la
défaite*, la *Marche lithuanienne*, restaient au répertoire des meilleurs concerts, où les plus brillants
virtuoses exécutaient assez souvent son *Concerto
en sol majeur*. Ses compositions pour violon, —
Mazurkas héroïques, *Préludes*, *Élégies*, — merveilleusement appropriées à son instrument, étaient
presque populaires, à la manière des « valses »
ou des « nocturnes » de son illustre émule. On
estimait ses deux *trios* et son *quatuor* à l'égal des
œuvres les plus parfaites qu'ait produites la mo-

derne musique de chambre. Il allait aborder un
genre nouveau : le grand Opéra promettait pour
la rentrée son *Conrad Wallenrod*, tiré, comme un
opéra de son compatriote Ladislas Zelenski, de
la fameuse « légende historique » de Mickiewicz.
Ses succès de virtuose étaient encore plus éclatants ;
dans plusieurs capitales, de jeunes enthousiastes
avaient dételé ses chevaux pour le ramener en
triomphe à son hôtel ; de iolies femmes se dispu-
taient les débris des cordes sautées de son Guarnerius ou de son Montagnana ; à Munich, on s'ar-
racha les morceaux du mouchoir dont il avait essuyé
ses doigts, après une fougueuse interprétation de la
grande chaconne de Bach ; à Vienne, deux archi-
duchesses se brouillèrent à cause d'un de ses gants
que chacune voulut ramasser ; à Nice, on joncha
de roses son passage. Depuis plusieurs années,
pourtant, il avait renoncé à cette part de sa carrière,
non pour les raisons de lassitude ou de paresse
qu'il alléguait, mais parce que la vie errante du
virtuose ne s'accordait pas avec la vie stable de
son cœur, parce que des succès trop bruyants
gênaient le silence qu'il souhaitait autour du sentiment qui gouvernait sa vie. Il n'en devait pas
moins partir pour une longue tournée d'Amérique,
— la dernière, disait-il, — aussitôt après la représentation de son opéra : ayant perdu, dans un
placement aventuré, la plus grande partie de la
petite fortune qu'il devait à son art, il s'était
résolu à la refaire ainsi, d'un seul coup. Peut-être

n'aurait-il jamais eu le courage de réaliser ce projet intéressé, s'il ne s'y fût mêlé le secret espoir, — un espoir qu'il ne se fût pas même avoué, — d'atteindre une fois ou l'autre son rêve d'union paisible et sûre, sans avoir alors à compter avec la gêne ou les obstacles matériels. Maintenant, à mesure qu'approchait l'époque du départ, des sentiments contradictoires s'agitaient en lui : le regret de la chère intimité dont la mer allait le séparer, la frayeur des mille dangers de l'absence, une sourde jalousie toujours prête à troubler son imagination vite assombrie malgré sa confiance, la terreur de cette solitude d'âme qu'il promenait partout au milieu des visages étrangers ; d'autre part, le désir d'exercer une fois encore, sur les foules, cette séduction immédiate dont un artiste tire de si fortes émotions, peut-être même le besoin de vivre quelque temps d'une vie plus expansive, plus extérieure, plus fiévreuse que celle où le confinait un amour déjà ancien qui, croyait-il, n'aurait plus d'imprévu.

Ceux qui ne connaissaient Frantz Lysel que par son existence publique, se faisaient une idée très erronée de sa personnalité véritable : la réserve de ses manières, la correction de ses allures, la raideur un peu hautaine dont il voilait son invincible timidité, les aidaient à le méconnaître. Certains disaient avec malice qu'à force de mettre son cœur dans son violon, il n'en gardait plus pour son usage ; au cours d'une tournée d'Alle-

magne, qui fixa sa réputation, un caricaturiste
berlinois le représenta en train de couvrir un
papier à musique d'une multitude de notes aux
effigies de toutes les monnaies courantes. Pourtant, dans ce monde des artistes où le besoin,
l'intérêt, la sincérité, l'ambition, le talent et la
vanité prêtent à tant de combinaisons compli-
quées, aucun n'était plus asservi aux impulsions
de ses sentiments, aucun n'oubliait pour eux ses
intérêts les plus importants, avec plus de facilité
insoucieuse et de légèreté. De même, il passait
pour riche de naissance, en raison de son élégance
naturelle, de sa simplicité qui contrastait avec le
faste des parvenus de l'art ; et, né dans la gêne
d'un ménage de réfugiés, il avait connu la misère.
Aucun de ceux qui le jugeaient ne savait rien de
son passé ; aucun non plus n'aurait soupçonné
la part qui, dans la formation de son caractère,
revenait à certains éléments peu communs dans
le monde actuel. Le plus actif de ces éléments
avait été son amour romanesque de la patrie
perdue. Il le tenait de son père, un des héros du
soulèvement de 1830, ami de Malachowski, neveu
d'un de ces vieillards qui avaient combattu comme
des jeunes gens sous les ordres des Czartoryski
et des Dembinski, fugitif après les dernières
défaites, condamné à mort, et qui, traqué par les
troupes moscovites, connut l'émotion rare de se
reconnaître pendu en effigie en traversant, déguisé,
Varsovie. Aucun événement n'impressionna plus

fortement l'enfance de Frantz que de voir, en
1863, ce père noué par les rhumatismes contractés
autour des bivouacs, se désespérer d'être écarté
de la lutte qui recommençait. Sa mère, une Lor-
raine de bonne race, dont il tenait sa réserve
sérieuse, partageait cette fièvre, pleurait à chaque
désastre ; et il l'entendait répéter alors, en lui
caressant les cheveux :

— Nous recommencerons plus tard, quand tu
seras grand ! Tu seras brave comme ton père,
quand il avait la force ! Tu tâcheras de rendre une
patrie à tes enfants !

Elle lui disait aussi, souvent :

— N'oublie jamais que la patrie et la foi sont
inséparables : c'est par la religion qu'un peuple,
même asservi, reste lui-même !

Mais son père, peu fervent, d'esprit léger,
n'allait guère à la messe qu'aux anniversaires
patriotiques, pour rencontrer à l'église de l'As-
somption les débris des anciennes batailles. Quant
à Frantz, s'il oublia vite les leçons maternelles, il
en garda l'intime impression : jamais il ne devint
tout à fait incroyant, et peut-être la foi de son
enfance, abandonnée en chemin, continua-t-elle
d'influencer sa vie, comme ces pôles éloignés dont
la distance n'abolit pas toute l'action.

Les parents de Lysel étaient pauvres, la fortune
de l'insurgé étant restée aux mains des vainqueurs.
Il ne savait rien de la famille de sa mère, orpheline
et seule, et comme elle mourut jeune, il ne la con-

nut guère que par ces conseils d'héroïsme et quelques autres souvenirs imprécis. Son père, homme de haute mine, de belle prestance, à manières de grand seigneur, d'une galanterie d'ancien régime, frivole, élégant, besogneux, l'éleva et vécut en donnant de chétives leçons de piano : encore les devait-il plutôt qu'à son talent d'amateur, à la pitié qu'on accorde à quiconque a souffert pour une noble cause. Il menait mal sa barque fragile, la laissait dévier à chaque tentation, restant malgré les années charmant, inconséquent, capricieux et chevaleresque. Quand il mourut à son tour, Frantz venait de manquer son prix de Rome. C'était un garçon qui semblait mal armé pour la lutte, n'étant ni précoce, ni habile. Il se trouva donc dans une situation très précaire : peu s'en fallut que la fatigue du travail mercenaire n'étouffât son talent, qui se développait avec lenteur. Au moment où le succès approchait, il fut atteint d'une de ces crises d'épuisement nerveux qu'on soignait mal, en ce temps-là ; il eût alors disparu dans les bas-fonds de Paris comme une graine étrangère apportée par le vent, si le hasard, la Providence ou la fatalité n'avait placé les Jaffé sur sa route.

Ils étaient tous deux passionnés de musique : le mari, en solitaire de large culture, qui sait asservir aux curiosités de son cerveau toutes les forces de la pensée et de l'art, rompu à la science du contrepoint, capable, sans avoir beaucoup

exercé ses doigts, de lire au piano les plus belles
partitions, ou même de se jouer ses morceaux
préférés : les adagios de Beethoven, certains
andantes de Mozart, quelques-uns des nocturnes
ou des préludes de Chopin ; la femme, en habituée
des solennités internationales, qui a entendu
Parsifal à Bayreuth, la *Mattäus Passion* à Bâle,
Don Juan à Munich, la troisième ouverture de
Léonore au Gevandhaus de Leipzig, la *Neuvième
Symphonie* chez Hugo Meyer, à Paris ; en artiste
aussi, ayant étudié le piano avec Hans de Bülow,
le chant avec Tosti et Henschell. Pour beaucoup
d'âmes d'aujourd'hui, la musique est ainsi devenue
une sorte d'accompagnement à la vie dont elle
rythme les péripéties, prolonge les résonances,
affine ou sublime les émotions. Elle leur est nécessaire comme l'air et la lumière ; elle leur dispense
des rêves pareils à ceux de l'opium ou du haschich ;
elle leur inspire des admirations qui confinent à
l'extase ou s'étendent jusqu'au fanatisme. Cette
sorte de passion les rapproche à la manière d'une
même foi, comme des dévots, des sectaires ou des
nihilistes. Commune aux deux époux, elle n'était
pas le seul goût qui les unît : sans certains traits
de caractère irréconciliables, qui ne se révèlent et
ne se contrarient que dans la vie commune, et
tenaient peut-être à la disproportion des âges, ils
auraient formé un couple parfaitement assorti.

Fils unique d'un industriel alsacien, Antonin
Jaffé fut d'abord contrarié dans ses goûts intel-

lectuels : ce qui rendit sa vocation plus impérieuse.
Son grand-père, le chef de la famille et le fondateur
d'une de ces robustes dynasties de bourgeois
conquérants, comme l'Alsace en a produit plusieurs,
l'empêcha de poursuivre des études de philosophie
brillamment commencées pour le « mettre aux
affaires », comme il disait dans son langage d'une
brutale précision. Ce grand-père, Jean-Gaspard,
que ses ouvriers appelaient « le père Gaspy », était
un être d'âpre volonté, intelligent, vulgaire et
puissant, le *self-made man* dans ce qu'il a de plus
vigoureux et de plus insupportable, l'homme de
proie qui acquiert avec passion pour conserver
avec ténacité, généreux quelquefois dans les
grandes choses, toujours rapace dans les petites,
capable d'abandonner un morceau de son capital
à des œuvres « utiles » et de tourmenter les siens
par une avarice sordide. Il fallait soutirer franc par
franc l'argent du ménage à ce millionnaire qui
signait des chèques énormes. La fondation, puis
le gouvernement de l'usine, l'extension de sa prospérité, l'offensive et la défensive dans la concurrence, l'établissement de son règne sur le petit
monde qui tournait autour de lui, en un mot, les
soins multiples d'une entreprise considérable dont
il portait tout le poids, remplirent sa vie. Il ne
concevait pas que, l'esprit s'affinant dans l'aisance,
de nouveaux besoins se développassent chez ceux
qui montaient derrière lui : il s'étonna de voir
poindre chez son fils Frédéric, — « Monsieur

Fritz », — des goûts plus délicats ou luxueux,
un peu de paresse, une certaine distinction de
manières dont il s'offusquait, et que cultiva
l'influence d'une femme aimée, de goûts fins, qui
mourut après trois ans de mariage ; il fut plus
surpris encore de constater chez son petit-fils,
Antonin, une complète incapacité industrielle,
l'horreur du commerce, des aptitudes intellec-
tuelles qui ne lui inspiraient aucune estime. En
trois générations, les qualités conquérantes d'une
famille bourgeoise s'épuisent ou, en tout cas,
s'atténuent : le « père Gaspy », supérieurement
organisé pour l'action, avait pris part aux affaires
publiques, représenté son département au Corps
législatif, négocié des traités de commerce, fondé
des œuvres philanthropiques et sociales. Frédéric, qui d'ailleurs n'eut jamais l'occasion d'as-
sumer aucune initiative, — tels ces princes héritiers que l'autoritarisme des grands rois écarte
des Conseils, — eût à peine suffi à maintenir la
prospérité de la maison. Antonin, sans aucun
doute, l'aurait laissée dépérir. Mais les catas-
trophes de 1870, en ruinant l'usine, lui rendirent
sa liberté assez tôt pour qu'il pût encore renouer
ses études interrompues. La mort de son aïeul,
suivie à brève échéance par celle de son père,
acheva de le dégager, et la fortune considérable,
quoique réduite par les sacrifices faits à l'option,
dont il fut l'unique héritier, assura son indépendance. Il put se livrer à ses goûts, sans les rabaisser

par aucun souci de carrière. Après avoir conquis
son doctorat avec une thèse, qui fut remarquée,
sur la *Genèse des sentiments*, il publia d'année en
année cette série de retentissants ouvrages dont
tout le monde connaît au moins les titres, où
s'affirme la plus intransigeante liberté d'esprit,
qui le posèrent en champion des idées les plus
avancées, et dont l'influence fut considérable sur
la jeunesse pendant le dernier quart du xixe siècle : *Théorie dynamique des passions, Histoire générale des doctrines négatives, La foi et la folie
de la foi, Théorie des Révolutions, Essai sur le
matérialisme historique, le Dynamisme social.*

Antonin Jaffé approchait de la quarantaine
quand il se maria.

Bien qu'il n'aimât guère à donner de sa personne, il avait accepté de faire à Stockholm, en
1884, une série de conférences qui résumaient
sa *Théorie des Révolutions*, à laquelle il mettait
alors la dernière main. Il y soutint, sur les causes
et la marche des cataclysmes sociaux, des thèses
hardies, qui annonçaient un prochain boulever-
sement de notre régime social : car cet homme
de mœurs tranquilles, d'aspect craintif, d'allures
timides, ne reculait devant aucune des audaces
de l'esprit. Dans la rue, il rasait les murs, pliait
le dos, tremblait devant son ombre, et le moindre
attroupement le remplissait de frayeur. Dans
son cabinet, il sapait la patrie avec la religion, le
mariage avec la propriété, il lançait paisiblement

les déshérités à la conquête de la richesse et du pouvoir. De telles idées, qui paraissent aisément généreuses, séduisent les jeunes gens et les femmes : elles produisaient d'autant plus d'effet en tombant de la bouche de Jaffé, qu'il les débitait avec une extrême simplicité, d'une voix faible, claire, incisive, qui sonnait comme un fifre dans une salle bondée ; en sorte que, sans posséder aucune des qualités de l'orateur, il exerçait une action presque fascinante sur les meilleurs éléments de ses auditoires.

Dès le début de sa première conférence de Stockholm, ses regards se posèrent, par hasard, sur une jeune fille qui l'écoutait de toute son attention ; et, dès lors, il continua de la regarder, machinalement. Chaque fois qu'il levait les yeux de ses notes, il les posait un instant sur cette belle figure ombrée par la légère voilette, sérieuse sous la toque de loutre. Cette auditrice se nommait Irène Wilson. Elle était fille d'un père anglais, qu'elle n'avait jamais connu, et d'une Suédoise, Mme Storm, frivole, capricieuse et galante. De libres lectures, de nombreux voyages avaient de bonne heure formé son intelligence, que de précoces expériences teintaient d'amertume et poussaient à la révolte. La tranquille audace de ce démolisseur correct l'enthousiasma. Peut-être aussi fut-elle frappée de sa persistance à la regarder, dont elle ne comprit pas qu'elle était purement mécanique. Elle le rechercha et, comme elle con-

naissait beaucoup de monde, parvint sans peine
à le rencontrer. La vivacité contenue de son esprit
plut tout de suite à Jaffé : après quelques entretiens où ils crurent s'ouvrir l'un à l'autre, leur
mariage fut décidé. Les idées de Jaffé, plus que sa
personne, avaient attiré la jeune fille ; quant à lui,
épris en homme d'étude qui ne sait presque rien
de la femme, et en homme déjà mûr que soulève
un soudain retour de jeunesse, il trouva mille
bons arguments pour détruire les objections que
lui opposait la sagesse : la différence des âges, des
goûts, des habitudes, des races, la possibilité d'une
fâcheuse influence maternelle, l'ennui d'avoir pour
belle-mère une femme comme Mme Storm, cou-
reuse de villes d'eaux, de plaisirs stupides, même
encore d'inquiétantes aventures. Bientôt ce dernier argument, invoqué contre Irène, la servit :
le désir d'arracher à une telle mère cette grave
jeune fille, d'âme si pure, d'intentions si loyales,
d'autant plus exposée peut-être qu'elle avait plus
de noblesse et de sincérité, renforça en Jaffé les
mille illusions dont la passion nous aveugle pour
atteindre ses fins : il oublia ses vingt ans d'aînesse
et les autres raisons !

Les fiancés se croyaient d'accord en toutes choses.
Ils le furent en tout cas pour faire un premier
accroc à leurs principes : partisans de l'union
libre, ils s'inclinèrent devant des considérations
sociales, qu'invoqua Mme Storm, pour accepter
d'abord le mariage civil, puis, plus difficilement,

le mariage religieux. En compensation, pour satis-
faire ou leurrer leur logique, ils signèrent à double
exemplaire un papier conçu en ces termes :

« *Je m'engage à rendre sa liberté à ma femme* (ou :
à mon mari), *et à l'aider de tous mes moyens à la
recouvrer légalement, si elle* (ou : *s'il*) *jugeait un
jour opportun de la reprendre, quels que pussent
être d'ailleurs les motifs de sa décision.* »

C'était encore une idée de Mme Storm : ils en
rirent quelques mois.

Bientôt, cependant, d'imperceptibles incompa-
tibilités, de ténus dissentiments surgirent entre
les époux. Ils furent obligés de les remarquer,
mais ne s'en troublèrent pas : chacun rachetait,
par les qualités les plus belles, les menus défauts
dont l'autre aurait pu s'offusquer.

Absorbé par son travail auquel il rapportait
toutes choses, M. Jaffé était méticuleux, distrait,
un peu valétudinaire, si réglé dans ses habitudes
que, par exemple, il refusait de se mettre à table
quand le déjeuner se trouvait en retard de cinq
minutes, et se couchait au premier coup de dix
heures, fallût-il s'interrompre dans une conversation, et presque au milieu d'une phrase. D'innombrables petites manies, en le rendant maussade
ou pointilleux, le rabaissaient un peu aux yeux
de ceux qui en étaient les témoins obligés. Certaines contradictions intimes le diminuaient davan-

tage encore : ainsi, égalitaire, libertaire, presque
anarchiste dans ses doctrines, il agissait en despote
dans sa maison, en aristocrate dans ses rapports
avec le prochain. Son caractère extrêmement «bourgeois», que soulignaient jusqu'aux détails de sa
mise, la coupe de ses redingotes, la forme de ses faux-
cols, contrastait péniblement avec la hardiesse de
ses idées : ce destructeur de la propriété apportait
une incroyable minutie à l'administration de ses
intérêts ; et comme son esprit se mouvait dans
l'abstrait, en dehors des contingences, il ne s'apercevait pas de ces disparates. — Irène était tout
autre. Élevée dans une liberté voisine de l'incohérence, elle éprouvait un besoin constant de mettre
d'accord le fond réel de son être avec les apparences,
une soif juvénile de la vie ardente, une générosité
de cœur qui brûlait de se manifester dans l'action,
un désir d'expansion que sa réserve habituelle
cachait aux yeux étrangers, mais qu'elle souffrait
de réprimer devant l'homme admiré. Les intrigues
et les mensonges maternels, percés à jour avec
douleur par sa jeune clairvoyance, n'avaient eu
d'autre effet que de lui inspirer une véritable
passion de droiture. De ce côté-là, aucune des
craintes de M. Jaffé ne se réalisa : il ne souffrit
que de trouver sa jeune femme trop fidèle aux
théories qu'il oubliait de transposer dans la pratique, et il se consolait du malaise qu'il en ressen-
tait en se rencontrant avec elle dans ce goût strict
de loyauté — pour lui surtout intellectuelle, — qui

restait leur plus solide trait d'union. Irène savait qu'avec la douceur de ses manières, son mari conservait intacte l'intransigeance de sa pensée, et que, malgré ses allures de bourgeois timoré, il serait toujours digne, la plume à la main, de sa belle devise : *In veritate virtus*. Là encore, pourtant, il y avait entre eux des nuances : ce lait de la vérité, M. Jaffé l'avait sucé dans les livres, en poursuivant les fantômes de l'histoire ou les secrets de la psychologie ; Irène en avait appris la vertu dans la vie même, par réaction, comme d'autres l'apprennent par l'entraînement de l'exemple, en dévorant les affronts que l'inconséquence de sa mère imposait à sa fierté, en cinglant de son muet mépris le monde interlope où Mme Storm la traînait quelquefois. C'est pourquoi, sans doute, elle aurait souhaité que son mari fût, comme elle-même avec sa raideur un peu hautaine, sincère jusque dans son air. — De telles différences produisirent bientôt de légers froissements : ils n'entamèrent ni la haute estime où les époux se tenaient l'un l'autre, ni leur affection réciproque ; mais ils tuèrent assez vite en eux ce qui peut subsister de romanesque ou de passionné dans le sentiment conjugal. Si le déchet parut faible à M. Jaffé, il creusa un vide douloureux dans le cœur jeune, ardent et passionné d'Irène.

Ils en étaient là quand ils rencontrèrent Lysel, environ trois ans après leur mariage et dix-huit mois après la naissance d'Anne-Marie. Ce fut un

2

ami d'enfance de M. Jaffé, Alsacien comme lui,
Hugo Meyer, le fondateur des fameux concerts
auxquels il donna son nom, qui le leur amena.
Il venait de le « découvrir », d'exécuter avec succès
la *Prière après la défaite.* Il voulait à tout prix
sauver ce malheureux contre qui s'acharnait la
maladie au moment où les griffes de la misère le
laissaient échapper. A sa prière, M. et Mᵐᵉ Jaffé
offrirent à Lysel un asile de repos et de convalescence dans un pavillon dépendant d'une propriété
qu'ils possédaient aux environs de Triel. Ils le
tirèrent de ses embarras, le soignèrent, le nour-
rirent, le guérirent, l'admirèrent, lui rendirent le
suprême service de réveiller sa foi en soi-même, le
plus solide appui de l'artiste. Leurs sentiments sur
cette bonne action différaient autant que leurs
deux natures. M. Jaffé reconnut ou devina d'emblée, en leur protégé, l'étoffe d'un grand artiste :
son dilettantisme s'échauffa ; le violon lui donna
des heures d'extase, assez souvent répétées pour
que sa curiosité de psychologue eût le loisir d'en
analyser avec profit les éléments (il en tira même
une curieuse étude sur *le Rythme dans l'expression
des sentiments*) ; peut-être aussi l'idée de jouer un
rôle providentiel dans une destinée vouée à l'art
qu'il aimait, promise à la gloire, ne fut-elle pas
étrangère à sa générosité. Quant à Irène, elle était
simplement encline à la pitié, comme toutes les
femmes. A la séduction de l'instrument qui chantait et pleurait sous son archet comme une voix

humaine, Lysel joignait celle plus puissante du
malheur. Il avait pour lui ses années de luttes, les
cruautés de ses débuts, l'auréole de sa naissante
célébrité impuissante encore à lui créer un abri,
la poésie de sa race vaincue, et surtout un infini
besoin de tendresse où s'adaptait l'immense désir
d'Irène : donner du bonheur. De toute son âme
et de toute sa belle voix émouvante, elle chanta
les premières mélodies qu'il composa sur les paroles
d'un poète mort jeune : ces lieds du *Retour à la vie*
d'où s'exhale un tel irrésistible élan vers la joie,
la lumière, la force et l'amour. Elle devint alors,
pour lui, le symbole des mille promesses qu'évoque
la beauté du monde aux yeux qui se rouvrent
après avoir frôlé les ombres de la mort. Il fut pour
elle une autre résurrection : celle du rêve de tendresse dont les minuties et la froideur raison-
nante de son mari avaient glacé l'essor. Aveuglé
quelque temps comme eux-mêmes, M. Jaffé,
quand il les devina, n'osa plus interposer sa sagesse
entre ces deux cœurs exaltés : il souffrit, atermoya,
se tut. C'est ainsi qu'il se forma entre eux une de
ces relations singulières dont il existe pourtant
des exemples, comme celui de Wagner et des Wesendonk, où se mêlent, s'appuient, se combattent la
tendresse, la reconnaissance, la loyauté, l'intelligence généreuse des choses du cœur, la fierté qui
préserve de la chute, la jalousie qui pourrait y
pousser ; tous les sentiments, toutes les passions
qui conduisent très loin dans l'énergie ou dans la

faiblesse, dans le drame ou dans l'héroïsme intime.

Il faut le rappeler : la liberté d'esprit de M. Jaffé,
qui reculait souvent devant les menues exigences
de la vie, ne connaissait aucune limite dans les
domaines où la pensée intervient. Là, aiguillonné
par la perpétuelle inquiétude de son esprit, il
recommençait constamment le procès des idées
reçues, des conventions sociales, des prescriptions
de la morale ou de la loi, dans une ardeur de vérité
qui poussait sa critique au cœur même des questions, avec des scrupules d'équité qui le mettaient
en garde contre les suggestions les mieux déguisées
de l'intérêt personnel : comme s'il eût voulu réagir,
à force d'indépendance intellectuelle, contre les
exactions ancestrales qui lui valaient son bien-
être matériel. En jugeant ainsi, il reconnut que,
n'étant plus passionnément épris de sa femme, sa
jalousie ne pouvait être qu'un mal d'amour-propre
ou une coupable exaspération du sens de la pos-
session ; et il la réprima. Quelque temps il songea
même à tendre à Irène, d'un beau geste, le papier
libérateur auquel, sans rien dire, elle devait penser
quelquefois. Mais, pas plus qu'elle, il ne se résolut
à le tirer de sa cachette : le courage de sa générosité
lui manqua, comme à elle celui de son égoïsme.
D'ailleurs, la petite Anne-Marie, qui leur souriait
à tous deux d'un égal amour, les rivait l'un à
l'autre plus solidement que les contrats et les codes.
Aucune de leurs pensées, qui se croisaient en silence,

n'échappa à la sagacité de M. Jaffé. L'examen qu'il fit alors de leur situation respective, avec autant de méthode et de lucidité que s'il se fût agi de personnages historiques, n'aboutit à aucun résultat pratique ; en revanche, il lui suggéra des réflexions qui devaient, peu à peu, modifier de fond en comble l'édifice de ses opinions : à constater que deux êtres, qui commençaient à se gêner et pouvaient se libérer par un simple rappel de leurs arrangements particuliers, renonçaient à cet avantage par égards réciproques et par tendresse pour un objet commun, il entrevit que les conflits des deux sexes ne tiennent ni à la rigueur des codes ni aux défauts des institutions, mais à la nature même de leurs rapports entre eux et avec l'ordre social. Cette simple vérité d'expérience personnelle fit une première brèche dans la muraille des principes abstraits qu'il avait si laborieusement construite. Sa logique ne tarda pas à élargir l'ouverture.

Les années passèrent.

Sans qu'aucune parole d'explication fût jamais échangée entre lui, sa femme et son hôte, M. Jaffé suivit au jour le jour les phases de leur évolution. Il y a, dans la vie du cœur, des intuitions merveilleuses qui, sans recourir aux formules du langage, vont droit à la vérité, par delà les apparences. Ce philosophe, mêlé pour la première fois à un drame de la réalité, en fit l'épreuve : lui qui, dans sa *Théorie dynamique des passions,* avait justifié

la toute-puissance des instincts, il devina que ces
deux êtres ne leur obéiraient pas ; qu'ils possédaient,
contre cette force aveugle, des appuis dont il put
mesurer la solidité : Lysel, avec un sentiment
d'honneur qui renforçait jusqu'à les rendre in-
frangibles les chaînes de la reconnaissance, quelques vestiges de croyances disparues ; Irène, son
intransigeante loyauté, sa fierté, le souvenir
avertisseur des égarements de sa mère ; tous deux
ensemble, cette délicatesse qui se refuse à payer
le bonheur d'un prix arraché à un tiers. Il comprit
qu'ils ne pourraient s'unir sans renverser des rem-
parts capables d'arrêter leurs élans, sans sacrifier
à leur désir ce qui faisait la beauté de leur amour,
qu'ils le savaient et ne le voudraient pas, et que
leur volonté leur resterait fidèle. Il comprit égale-
ment, — ceci lui fut amer ! — que, s'ils mainte-
naient librement la distance exigée par leur dignité,
ils ne se laisseraient pourtant pas séparer davantage par les raisons de la sagesse usuelle, et qu'ainsi
se formerait entre eux un lien plus puissant que
celui de la passion satisfaite, un sentiment profond qu'on ne pourrait attaquer sans le remener
aussitôt aux conditions communes de l'amour.
Et il eut le courage d'accepter telle quelle une
situation qu'il jugeait avec tant de sagacité. Quand
son rival quitta le refuge de Triel, M. Jaffé devina
qu'il appelait l'absence au secours de la faiblesse
humaine. Pendant la séparation, il aurait pu
épeler dans l'âme de celle qu'on appelait sa femme,

comme dans un beau livre, les pensées qui suivaient
l'absent. S'il ne lut jamais leurs lettres, il aurait
aussi pu les lire toutes : afin de rester plus sûrs de
leur retenue, ils n'en disaient que juste assez pour
sentir, à travers l'insignifiance des détails sur leur
activité ou leurs déplacements, qu'ils restaient tout
près malgré l'espace. Enfin, quand Lysel revint
après sa longue tournée, M. Jaffé eut la certitude
qu'ils avaient réglé leur cœur selon leur volonté.

Cependant, les idées de ce sage se modifiaient
avec le temps. Anne-Marie, en grandissant, ob-
servait de ses yeux curieux et précoces les allures
de l'ami trop intime, l'accueillait avec une indifférence un peu méfiante, et parfois semblait
deviner ou partager les vrais sentiments de son
père pour Lysel, quand il les trahissait par un mot
légèrement caustique, par une inflexion de voix
où pointait l'ironie. En pressentant les doutes ou
les soupçons de sa fille, M. Jaffé ne se reprochait
pas encore son extrême modération. Il songeait
pourtant que le compromis tacite de leur ménage
ne pourrait durer toujours ; que la vie transforme
peu à peu ses propres éléments, et, quelque lente
que soit son œuvre, nous pousse à des dénoue-
ments imprévus ; qu'une fois ou l'autre, sous la
pression d'un imperceptible incident, les égarés
s'aperçoivent qu'ils font fausse route et rentrent
dans les chemins battus. Lorsqu'il était le principal intéressé, il n'eût rien fait pour précipiter
cette crise, qu'il se contentait de prévoir comme

un savant la marche du son ou de la lumière ;
maintenant, en songeant au mystérieux travail
qui s'accomplissait peut-être dans l'âme de sa
fille, en supposant refroidie la lave la plus dan-
gereuse du volcan, il guettait l'heure où de justes
paroles pourraient aider la marche des choses.
Il la désirait aussi, toujours plus vivement. Selon
ses habitudes d'esprit, il tirait des leçons générales
de leur cas isolé, le rattachait à quelque large syn-
thèse. Ainsi, la douloureuse expérience où il était
à la fois opérateur et sujet, hâtait la transforma-
tion de ses idées maîtresses. Tandis que son étude
abstraite de la vie humaine, poursuivie à travers
les phénomènes de la nature et de l'histoire, l'avait
insurgé contre les lois séculaires qui la règlent,
il apprenait à ses dépens leur sagesse, — ou du
moins leur nécessité, — et, dans son épreuve même,
il découvrait les raisons d'être de cette morale
traditionnelle dont sa critique avait si souvent
discuté les données, sapé les fondements. Le drame
qui se jouait dans son esprit accompagnait donc
celui de son cœur, plus intense peut-être, puisqu'il
mettait en jeu sa passion dominante, la pensée.
Jamais il n'avait dit à personne un mot de cet
étrange tourment ; mais depuis cinq ans, sa pro-
duction s'en trouvait arrêtée : son nouvel ouvrage,
cette *Esquisse d'une morale sociale,* annoncée depuis
longtemps, qui devait être l'aboutissement ou la
conclusion de ses précédents travaux, se modifiait
sous sa plume jusqu'à en devenir la contre-partie,

et presque la réfutation. Telle était d'ailleurs sa sincérité, qu'il s'apercevait à peine de cette métamorphose : sa candeur ne redoutait pas les conséquences de ses recherches, puisqu'il les accomplissait avec une entière bonne foi ; l'idée de tricher avec sa méthode ne l'aurait jamais effleuré ; et, sans craindre de se contredire, il restait bravement fidèle à sa devise : *In veritate virtus*.

III

... CE n'était sûrement pas la seule admiration qui faisait palpiter Lysel et Mme Jaffé au spectacle du couchant sur la Jungfrau : c'était bien un de ces secrets rapprochements entre notre vie et celle des choses, comme il s'en esquisse dans nos esprits à certaines heures de notre destinée. Ainsi des dessins mystérieux apparaissent à la surface des eaux, sous l'obscure action des vents, pour annoncer aux pêcheurs la tempête prochaine...

Un nuage allongé, aux extrémités apointies, pareil à un projectile lancé par quelque artillerie de géants, prenait en travers le flanc de la montagne, séparant la base du sommet ; tandis que les assises perdaient peu à peu leurs contours et leurs couleurs jusqu'à se confondre avec les vapeurs amassées au fond de la vallée, la cime se détachait, en tons de cuivre et d'or, sur un fond plus clair où se mêlaient les plus délicates nuances des mauves, des gris, des roses. A mesure que la tache livide de la base montait, s'étendait, l'entamait au-dessus des nuages, elle devenait plus

transparente et aérienne : sans attaches avec le
sol, elle flottait dans l'éther, à des hauteurs incal-
culables. Le nuage disparut presque tout à coup,
disloqué par une rafale. Pendant que ses lambeaux
s'étiraient, s'effilaient, s'enfuyaient, se fondaient,
l'ombre précipita sa montée. Il n'y eut bientôt
plus qu'une flamme légère à l'extrême sommet,
un peu pareille à la coulée de lave d'un volcan qui
s'émeut ; puis, cette flamme elle-même s'éteignit,
comme au souffle d'une bouche toute-puissante.
La montagne entière, frileusement enveloppée dans
ce manteau d'ombre, reprit sa teinte uniforme,
sa teinte d'opale sans reflets, qui s'abaissa peu à
peu jusqu'à la lividité de la mort ; en sorte qu'elle
ne fut plus qu'un cadavre, marqué pour la décomposition prochaine.

Mme Jaffé murmura :

— C'est fini !

— Pas encore, répondit Lysel ; il y a des retours
de lumière.

Elle répéta, d'un accent plus profond :

— C'est fini !

Ils se turent de nouveau, devant ce spectacle
mortuaire qui conservait des vestiges de beauté.
Leurs traits restaient immobiles, leurs yeux muets.
Seules, les belles lèvres de Mme Jaffé frémissaient ;
leur jeu furtif suffisait à donner à son visage une
indicible expression de souffrance cachée, comme si
trop d'émotions cherchaient dans le silence une
transcription que la parole eût refusée.

— Vous voyez bien que les plus belles choses ont leur fin, dit-elle. Vous voyez. Pourquoi ne voulez-vous pas me croire ?

Lysel affirma :

— Elles recommencent.

D'un geste empreint de grâce et de désespoir, en levant sur lui ses yeux où brillait une larme, Irène montra les pâles lueurs qui expiraient sur la montagne. Que ces reflets mourants étaient peu de chose, en regard des splendeurs éteintes ! Comme ce dernier effort de la lumière trahissait la défaite et l'agonie ! Comme on sentait que ces couleurs tremblantes allaient s'effacer, et qu'alors la nuit triompherait, noire, humide et profonde comme les ténèbres du tombeau, jusqu'à ce que recommence une autre journée : une autre journée qui ne serait plus la même, qui ne ramènerait ni les mêmes ombres ni les mêmes rayons, qui égrènerait d'autres heures, finirait dans un autre crépuscule, s'en irait à son tour grossir le nombre incalculable des journées mortes, noyées dans le passé, dont la fuite fait la durée comme les gouttes d'eau font la mer !

Lysel répondit à la pensée intime que sa compagne venait d'indiquer plutôt que d'exprimer, et dont il avait saisi l'exacte nuance :

— Il ne se passe rien en moi de ce que vous semblez croire. Je ne vois pas qu'il y ait contre nous plus de forces hostiles que jamais : il me semble plutôt qu'il y en aurait moins. Je ne pressens aucun obstacle qui puisse nous abattre ou nous séparer... Il n'y a que des nuages qui montent dans votre esprit.

Elle répéta une fois encore, avec le même geste :

— L'ombre s'étend...

Et la larme suspendue à ses longs cils roula lentement sur sa joue.

— Ne répétez plus cela ! s'écria-t-il avec impétuosité. J'entends très bien ce que vous voulez dire, et vous vous trompez. Je suis ce que j'ai toujours été. S'il y a quelque chose de changé, c'est en vous-même...

Elle murmura :

— Ce n'est pas nous qui changeons, ce sont les choses.

— Les choses ?... D'hier à aujourd'hui ?...

— D'hier à aujourd'hui, non, en effet ; mais d'autrefois à maintenant, du jour où vous m'avez rencontrée à celui qui va finir... Les choses changent insensiblement : nous ne distinguons pas leur imperceptible travail, qui s'accomplit pourtant... Voyons-nous remuer l'aiguille du cadran qui marque les heures ?... Voyons-nous blanchir nos cheveux ?... Et tout à coup l'on s'aperçoit que l'heure est passée, et qu'on est toute blanche !

Elle eut un geste d'une grâce infinie pour montrer les beaux cheveux argentés qui encadraient si noblement la persistante jeunesse de son visage.

— Vos cheveux blancs sont une coquetterie, répliqua-t-il. Vous le savez bien : vous en jouez !

Et que parlez-vous de votre âge ! Vous êtes l'amour, qui ne vieillit pas.

Elle sourit avec mélancolie :

— Il y a un temps pour l'amour, dit-elle ; c'est la jeunesse. Et la jeunesse passe, malgré vos compliments. A supposer que celle de nos cœurs survive aux années, — cela est-il possible, mon pauvre ami ! — à supposer que nous soyons immuables. il resterait ce qui n'est pas nous, les fils étrangers mêlés à la trame de notre destinée, les autres, la vie !...

— La vie gêne ceux-là seuls qui ne savent pas la dominer. Quant aux autres..., avez-vous rien remarqué qui présage un danger ?

Le ton, si résolu dans la première phrase, avait fléchi dans la seconde, révélant une sourde inquiétude. C'était celle qui veillait constamment en Lysel, de voir se dresser entre eux, par un de ces revirements dont le cœur est coutumier l'homme jusqu'alors passif qui tenait leur sort, et contre lequel il se sentait impuissant.

— Voilà que vous avez peur ! fit Irène.

Il avoua :

— Vous savez de qui et pourquoi. Et puis, j'ai toujours peur, quand il s'agit de vous !

Irène détourna les yeux, sans rien dire. Lysel sentit son inquiétude grossir dans le silence. Il lui résista un moment ; elle fut la plus forte :

— M. Jaffé ?... demanda-t-il d'une voix changée.

Elle fit de la tête un signe négatif ; puis, sans que Lysel en demandât davantage, elle ajouta :

— Il vieillit. Il est souvent malade.

Et, plus sourdement :

— Je crois qu'il souffre...

Ils se turent de nouveau. L'idée de cet homme, d'esprit si haut, si généreux, dont l'indulgence ou la pitié les couvrait, qui ne se plaignait jamais et souffrait peut-être par eux, les tourmentait comme un remords. Jamais elle ne se glissait entre eux sans glacer leur tendresse ; si même ils l'eussent voulu, ils n'auraient jamais pu l'écarter.

— Pourtant, il a compris ! murmura Lysel.

Mme Jaffé leva les yeux vers le ciel, où couraient les nuages. Son regard semblait dire : « Sait-on jamais ?... Sait-on ce qui gronde ou pleure dans un cœur atteint !... » Puis, l'expression en devint plus douloureuse encore, ses lèvres hésitèrent, et, comme si la force de rester fermées leur manquait, prononcèrent :

— Il y a autre chose...

Lysel baissa la tête. Elle vit qu'il comprenait, et insista quand même :

— Il y a ma fille...

Il murmura :

— Une enfant !

— Non, mon ami, Anne-Marie n'est plus une enfant... Elle regarde, elle observe... Elle juge !...

Elle s'arrêta un instant sur ce mot, et poursuivit :

— La question de son avenir se posera bientôt ;

croyez-vous que notre affection n'y peut faire
obstacle ?

Lysel fit le geste d'écarter un souci :

— Si nous voyions que c'était le cas..., murmura-t-il.

Elle l'interrompit :

— Peut-être alors serait-il trop tard !... Il y a
tant de choses avec lesquelles il faut compter !...
Tant de gens, surtout !... Quelque solitaire qu'on
soit, quelque indépendant qu'on se croie, on a un
cercle de famille, des amis, des relations... Autant
de bouches qui parlent, commentent, discutent...

Lysel se redressa fièrement :

— Qu'ont-elles à dire, ces bouches-là ?... Nos
sentiments ne regardent que nous !

— Si nous étions seuls en cause, peut-être. Est-
ce le cas? Vous savez que non. Et quand ces com-
mentaires, ces propos, ces murmures atteignent
un être qui dépend de nous, que nous aimons ?...

Ces paroles ne révélaient qu'une part de son
souci, non la plus grande : dans l'âme un peu
fermée d'Anne-Marie, elle pressentait des mouvements encore confus, qu'elle n'aurait pu défi-
nir, où cependant elle commençait à reconnaître
le contre-coup du sentiment qui remplissait sa
propre vie. Élevée dans une atmosphère d'amour,
cette silencieuse enfant de seize ans découvrait
l'amour, là, tout près d'elle, avec la précoce
clairvoyance qu'apportent aux choses de l'amour
les âmes enclines à l'amour ; et ce n'était pas

l'amour limpide et rayonnant dont la pure lumière illumine le foyer, que les mères souhaitent
à leur fille : c'était l'amour qui n'ose se montrer
tout entier, cherche des voiles, a toujours quelque
chose à cacher, et ne mène point au bonheur...

Lysel aurait voulu se taire, sachant qu'on n'arrête pas les vérités une fois dites, tandis que le
silence en peut du moins reculer les effets. Mais
il y a des paroles qui sortent du cœur comme le
sang de la blessure : une question plus précise
lui brûlait les lèvres ; ce fut malgré lui qu'il la
laissa tomber :

— Où voulez-vous en venir, Irène ?

Elle répondit avec fermeté :

— A ceci, mon ami : je désire qu'à l'avenir
vous comptiez moins sur moi ; je voudrais que
nous fussions... un peu plus séparés.

— Ne le sommes-nous pas assez ?

— Il paraît que non... Oh ! vous me comprenez, j'en suis sûre, vous comprenez très bien ce
que je pense, ce que je veux dire... Nous sommes
à un carrefour de la vie : il faut choisir notre
chemin.

— Les événements ne se chargent-ils pas de nous
l'imposer ?... A quoi bon parler de nous séparer
davantage, au moment où ils vont accomplir
pour nous cette cruelle besogne ?... Ces jours
que nous passons ici, vous le savez, ce sont les
derniers jours à nous que nous aurons de longtemps. Et ils sont comptés. Ensuite, que sais-je ?...

Je vous reverrai à Triel, si vous y passez septembre... Vous n'allez pourtant pas me fermer la porte de mon ancien refuge ?... En octobre, quand vous rentrerez à Paris, je serai absorbé par mes répétitions... Si peu que je cède aux exigences de ma carrière, je suis pourtant obligé de lui faire une part !... Je vais lui payer largement ma dette, cette fois, puisque nous aurons l'Océan entre nous... Cela ne vous suffit pas !... Que vous faudrait-il donc ?...

— Nous avons eu déjà l'Océan entre nous : jamais nos cœurs n'étaient si proches.

Elle réprima l'attendrissement qui la gagnait à ce souvenir.

— Vous voyez bien que cela ne suffit pas !... Ce que je veux dire, mon ami, c'est qu'il faut cette fois que la séparation soit plus complète, — qu'elle soit consentie.

— Alors, je ne pars plus !...

— Des mots !... Vous savez bien que vous partirez.

— Je ne partirai pas sans que vous m'ayez juré que vous ne pensez pas un mot de ce que vous venez de dire, qu'il n'y a rien de changé dans votre cœur, que je vous retrouverai telle que toujours, que vous m'écrirez comme autrefois.

— Vous voulez que je vous jure tout cela ?... Serments de femme !...

— Vous m'avez appris à compter sur les vôtres.

Irène cessa de répondre, et se retourna vers le

paysage. Depuis que les dernières lueurs étaient
mortes sur la cime, l'obscurité s'épaississait rapidement dans la vallée et dans le ciel : à peine encore
distinguait-on, à travers les ténèbres envahissantes,
les blancheurs lunaires des glaciers, la silhouette
spectrale du sommet ; tandis que des points
lumineux, de plus en plus nombreux à travers
l'espace, signalaient les fenêtres des chalets dis-
persés. Un feu s'alluma dans un pâturage, sur le
Schynige Platte. Des souffles froids agitaient la
forêt.

— Rentrons ! dit Irène en frissonnant, après
un long silence.

— Vous ne m'avez pas répondu, fit tristement
Lysel.

Elle se contenta de répéter, en se levant :

— Rentrons, j'ai froid...

Ils se mirent à descendre, en cherchant le
sentier parmi les sapins et les hêtres. La nuit
tombée les enveloppait de son silence où glissaient des bruits furtifs de bêtes en fuite, de
branches secouées par le vent. Ils croisèrent un
couple enlacé : quelque vendeuse de bazar et
quelque iodleur de brasserie, habillés en Bernois
d'opérette, qui s'en allaient lentement, extasiés
dans les langueurs de la soirée, en s'arrêtant tous
les dix pas pour se baiser les lèvres...

En parlant à Lysel d'une séparation possible et
plus complète, Irène n'avait pas osé lui dire à
quel point ni pour quelles fortes raisons elle la

sentait nécessaire. Elle voulait l'y préparer en
le ménageant. Peut-être elle-même hésitait-elle
encore, devant une résolution dont elle savait le
prix. Elle ne dit pas non plus que là, tout à l'heure,
pendant que l'ombre s'étendait sur les glaciers
de la Jungfrau, elle avait entendu au fond d'elle-
même comme un glas qui sonnait la fin de quelque
chose, et reconnu que c'était le glas de leur amour.
Elle ne dit pas qu'à présent même, en cheminant
à côté de lui, elle entendait ce glas sonner, sonner
toujours dans le silence de la forêt, répétant le
même ordre impérieux et triste. Elle ne dit pas
qu'elle sentait son ami *déjà* loin d'elle, que le départ
ratifierait seulement la séparation toute prête, que
l'espace les disjoindrait moins que sa volonté.
Elle ne dit pas qu'elle comptait sur la longueur
du voyage, — temps et distance, — pour lui faire
accepter peu à peu cette idée de rupture qu'il
repoussait de toute sa force : comme on subit
une de ces nécessités qu'impose la vie, cette
maîtresse despotique qui se fait toujours obéir.
Elle ne dit rien de tout cela. Et Lysel, pourtant,
l'entendit aussi distinctement qu'elle-même entendait le sourd appel du destin. Mais, tandis
qu'elle s'inclinait déjà, comme les branches au gré
du vent dont elles connaissaient l'irrésistible
force, il cherchait une défense, songeait à se raidir,
à la garder.

En arrivant sur la terrasse de l'hôtel inondée
de lumière électrique, parmi les hommes en smo-

king et les femmes en toilette claire, Irène et Lysel
reconnurent, installés dans des fauteuils de jonc,
Mme Storm, M. Jaffé, Anne-Marie ; ils se joignirent
à eux.

Un simple coup d'œil sur les trois figures fémi-
nines de ce groupe aurait démenti le proverbe :
« Telle mère, telle fille », qui exprime une si rudi-
mentaire conception de l'hérédité. Il n'y avait,
en effet, aucune ressemblance entre le beau visage
grave et pur d'Irène, et le visage de la vieille dame
que tant de pommades, d'onguents, de poudres,
de fards s'efforçaient de rajeunir sous une couronne
artificielle de cheveux teints. Tandis que celui
de la fille, dans sa régularité sévère, brillait de noblesse et de franchise, celui de la mère, composé
de petits traits flétris ou bouffis, semblait raconter
la vaine existence qui avait promené de plage en
plage et de casino en casino tant de passions et de
passionnettes, d'amants et de maris dont certains
végétaient encore autour des tapis verts. En les
comparant l'une à l'autre, un faiseur d'hypothèses
aurait pu conjecturer quelques chapitres de leur
histoire : la rencontre passagère de cette femme de
plaisir avec un homme d'autre sorte, — le mariage
imprudent, désassorti, orageux, dénoué dans un
drame, — l'enfance et la jeunesse de cette fille
d'un père tragique, dont elle avait hérité l'âme,
à la suite de cette mère de vaudeville. Anne-Marie,
de son côté, ne ressemblait guère plus à Irène que
celle-ci à Mme Storm. Elle était de taille moyenne,

un peu trop grasse, très développée pour ses seize
ans. La couleur châtaine de sa chevelure souple,
abondante, vivante, était bien celle qu'avaient
autrefois les cheveux blanchis de Mme Jaffé ; mais
son profil busqué, ses lèvres plutôt minces, son
menton accentué lui donnaient une expression
bien différente de la douce expression maternelle.
Seul, le regard profond de ses yeux, d'un bleu
très foncé, laissait pressentir une âme qui pouvait
devenir sensible ou passionnée, aimante ou violente,
ardente ou résolue, selon qu'en décideraient des
instincts encore incertains, peut-être aussi les
caprices de la vie.

Quatre robustes gaillards attifés en armaillis,
— béret de paille, culotte, gilet de velours, manches
retroussées, — remplissaient l'air de leurs iodlers,
de leurs liaubas, de leurs lalaoutis, en s'accom-
pagnant sur une cithare dont les cordes graves
rendaient des sons émouvants. L'un d'entre eux
possédait une voix de tête si aiguë, que la figure
de Lysel se crispa de douleur. Ces sons inhumains,
agréables parfois dans les hauts pâturages, quand
l'espace les atténue ou quand l'écho les renvoie,
lui perçaient l'oreille à le faire crier ; M. Jaffé, au
contraire, les écoutait avec la curiosité attentive
qu'il prêtait à toutes choses, en prenant mentale-
ment des notes sur la musique alpestre : car rien
ne passait dans son rayon d'observation dont son
esprit généralisateur ne tirât aussitôt parti. Il se
dérangea cependant pour accueillir les arrivants,

les invita courtoisement à s'asseoir ; puis, sans que sa figure ni sa voix trahissent aucune contrariété non plus qu'aucun embarras, il leur demanda, avec son habituelle simplicité :

— Vous avez fait une bonne promenade ?

— Excellente ! répondit Lysel, sur un ton dont la vibration ironique ne fut perçue que d'Irène.

— Loin ?

— Non. Nous sommes allés voir le couchant à Umspunnen.

— Ah ! le couchant ! murmura Mme Storm en levant une main qu'elle laissa aussitôt retomber sur le bras de son fauteuil. C'est toujours la même chose !

Elle aimait peu la nature, n'appréciait à Interlaken que le Casino, où personne ne voulait l'accompagner, s'ennuyait avec ses enfants qu'elle avait pourtant rejoints, parce qu'elle s'ennuyait aussi dans son entresol de l'avenue du Bois-de-Boulogne.

— Celui de ce soir était fort beau, dit M. Jaffé. Ce n'était pas l'Alpenglühn, le couchant romantique, impérial, ensanglanté. C'était un couchant plus familier, la belle fin presque tranquille d'une journée un peu douteuse.

— D'une longue, longue journée, bâilla Mme Storm. Dieu ! que les journées sont donc longues, dans ce pays ! Mon cher monsieur Lysel, croyez-vous vraiment qu'elles n'y sont que de vingt-quatre heures ?

Pendant ce rapide dialogue, Irène s'était approchée de sa fille. En lui effleurant le front de ses lèvres, elle sentit ou devina un recul, un frisson, une révolte muette, qui la repoussait. Ce n'était pas la première fois qu'une telle impression la pénétrait : jamais pourtant avec autant de force. Elle se retira aussitôt, et dit au hasard, en comprimant son émotion :

— Il y a des jours où le couchant est si tragique, qu'on croirait que le soleil ne se lèvera plus.

— Ce n'était pas le cas aujourd'hui, répondit M. Jaffé.

— D'ailleurs, le soleil se lève tous les jours, ajouta Lysel.

— A moins qu'il ne pleuve, fit Mme Storm, en regardant le ciel.

Lysel, à son tour, s'était approché d'Anne-Marie. Il lui tendit la main, qu'elle effleura. Si léger que fût l'attouchement, si banal que fût le geste, il eut, comme son amie, l'impression d'une pensée hostile,— méfiante ou jalouse. La jeune fille retira sa main plus vite qu'elle n'aurait fait, si le contact de Lysel ne lui eût été désagréable ; puis, brusquement, elle rapprocha son fauteuil de celui où son père venait de se rasseoir, lui prit la main et se pencha sur lui, dans une attitude charmante, qui semblait offrir et demander protection. De sa voix paisible, un peu grêle, qui prenait volontiers un accent démonstratif, M. Jaffé prononça :

— Les jours se suivent et se ressemblent, avec d'imperceptibles nuances. Tout recommence et tout continue !

Il était plutôt petit, avec l'épaule droite légèrement déviée, les membres menus, le corps frêle. Son visage affiné, qu'allongeait une barbe maigre, taillée en pointe, toute blanche, eût rappelé ces portraits de gentilshommes que peignaient les Clouet au temps de Henri III, sans la majesté d'un large front superbement modelé, lourd de pensées, sans la profondeur du regard que voilaient les verres fumés de lunettes à branches d'or. Il arrivait à cette heure de la vie où la maturité se confond avec la vieillesse : sa taille commençait à s'affaisser, ses mouvements se faisaient plus lents, ses mains maigres se ridaient. En ce moment, il tenait son petit chapeau de paille sur ses genoux pour rafraîchir dans l'air du soir sa tête presque entièrement chauve, un peu trop grosse, mais d'une forme parfaite. Quand il prononça cet axiome de sagesse résignée, sa fille leva les yeux sur lui avec une expression de ferveur concentrée.

— Il y a pourtant des choses qui finissent, dit Irène.

Personne ne releva cette parole qui se perdit dans le murmure des conversations voisines, des pas craquant sur le gravier, de la valse du Lauterbach qui sautillait par les allées. Et ils se turent.

Ils étaient là, tous quatre, sous le regard un

peu ironique de Mme Storm, réduits à l'un de ces
silences où s'expriment parfois les sentiments
retenus encore dans la gaine de l'inconscience,
ou ceux dont l'intensité effarouche les mots. Ils
étaient là, comme au seuil d'une de ces tragédies
d'âmes qui se développent et se résolvent le plus
souvent sans violences, bien qu'elles mettent aux
prises les mêmes forces opposées que celles où le
sang coule, ces forces qui s'entre-combattent
éternellement dans le monde et dans nos veines :
celles du devoir et de la passion, de l'amour et de
la haine, de la vie et du destin. Ils étaient là qui
s'écoutaient penser, devinant leurs muets griefs,
leurs plaintes sourdes, leurs reproches imprécis,
tous leurs secrets, tout ce résidu douloureux qui
subsiste dans les cœurs où l'orage a passé. Pourtant,
si quelque regard avait pénétré jusqu'aux replis
les plus cachés de leurs âmes, il n'y aurait surpris
ni rancunes aigries, ni jalousie enfiellée. Dans
l'âme seule d'Anne-Marie, trop jeune pour comprendre, il eût distingué quelques traces suspectes :
c'est que, par cela même que trop de savoir et de
réflexion ne gênaient pas son instinct, elle seule
peut-être avait l'intuition des dangers où ils
couraient. Elle eût été, certes, incapable d'expliquer
ce qui se passait en elle ou ce qu'elle apercevait en
eux ; mais elle sentait un terrain miné trembler
sous leurs pas. Sûre que c'était Lysel qui les y
poussait, elle sentait naître en elle des sentiments
de méfiance, de répulsion, presque de haine pour

cet ami de son enfance, qui jadis la comblait de
menus présents, jouait avec elle ou lui contait de
belles histoires, et qui plus d'une fois avait apaisé
ses pleurs en prenant son archet magique, cet
ami que deux ans plus tôt elle aimait de tout son
petit cœur facile, au temps si proche encore où ce
cœur n'était qu'un viscère ignorant, fonctionnant
sans calcul, selon les simples lois des attractions ;
même, — elle le reconnaissait avec horreur, — une
ombre de ce sentiment complexe rampait vers sa
mère tant aimée ; tandis qu'au contraire une tendresse ardente, d'une chaleur nouvelle, courait
violemment à ce père qui jusqu'alors inspirait
plus de crainte que d'affection, et qu'elle découvrait
en quelque sorte avec une surprise ravie...

Quand de pareils nuages pesaient sur eux, ils
trouvaient souvent un refuge dans la banalité
de propos oiseux, causant, comme des indifférents
qui se connaissent à peine, de la table d'hôte, ou
du paysage, ou de la liste des étrangers. Ce soir-là,
malgré eux, la force de leurs sentiments donnait
un sens à leurs moindres paroles.

— Passe encore pour la cithare, mais ces chan-
teurs sont insupportables ! dit Lysel, quand
l'armailli à voix de tête se remit à glapir.

Anne-Marie, qui tenait toujours la main de son
père, se tourna vers lui en répondant :

— Je n'aime plus aucune musique !

Ce fut comme si l'anathème frappait l'artiste
à travers son art.

— Oh ! fit Lysel, je crois que vous ne l'avez jamais beaucoup aimée, vous !

La jeune fille répliqua, d'un ton presque agressif :

— Si ! je l'aimais, autrefois... Mais on change !

Ses yeux sombres luisaient dans la nuit.

— Voyez-vous cela !... dit Lysel en tâchant de plaisanter. On change !... A seize ans ?...

Mme Storm, qui semblait sommeiller, souleva ses paupières, et prononça :

— Les femmes changent à tous les âges, cher monsieur !

La gêne s'accentua pendant un nouveau silence. Puis M. Jaffé reprit, comme s'il découvrait un sens général aux paroles de sa fille, après les avoir longuement pesées :

— Nos goûts n'ont rien de fixe, mais nous ignorons quelles lois en règlent les variations. J'ai longtemps préféré Beethoven à tous les autres musiciens ; à présent, j'aime mieux Mozart. Dans un domaine plus modeste, il y a des années où j'aime les fraises et d'autres où je n'en mange pas. Qu'est-ce que cela veut dire ?

— Tout le monde est comme cela, mon cher, en toutes choses, répondit Mme Storm. C'est heureux : vous représentez-vous ce qu'on s'ennuierait, si l'on ne changeait jamais ?

Après de suprêmes modulations où la voix de tête avait lancé ses notes les plus aiguës, les armaillis avaient plié bagage et s'en allaient. Lysel poussa un soupir de soulagement :

— Enfin !...

— Leurs chants sont cependant fort curieux, observa M. Jaffé. Quelle en peut être l'origine ? J'ai entendu jadis, en Sicile, des mélodies populaires qui ressemblaient un peu à cela. C'étaient des sortes de nénies, plaintives et monotones. On les disait fort anciennes.

Il se tourna vers sa femme, et ajouta :

— Vous vous en souvenez peut-être, ma chère amie ?... C'était pendant notre premier voyage en Italie.

Mille autres souvenirs surgirent aussitôt dans l'esprit d'Irène. Elle eut hâte de s'y dérober.

— Non, je ne m'en souviens pas, répondit-elle. Vous savez que j'ai peu de mémoire.

— La mémoire est capricieuse, conclut M. Jaffé en généralisant encore. Il y a des choses que nous nous rappelons, il y en a que nous oublions, et nous parvenons rarement à nous expliquer d'où vient cette inégalité.

Comme personne ne relevait ses paroles, il ajouta :

— Quelquefois, pourtant, nous le savons...

Le concert étant fini, des bruits de voix, des rires, des mouvements se produisaient sur la terrasse. On vit les toilettes claires et les smokings glisser dans la lumière, disparaître ou revenir.

— Oh ! cette vie d'hôtel ! dit Irène. Ces étrangers, ces touristes !... Que faisons-nous ici ? mon Dieu !...

Mme Storm souleva de nouveau sa main, dont les bagues scintillèrent, et la laissa retomber du même geste d'ironie.

— C'est vrai, que faisons-nous ici ? répéta M. Jaffé, d'un ton pénétré.

Anne-Marie lui pressa plus fortement la main qu'elle tenait toujours ; tous sentirent que la question dépassait la terrasse et son parapet, la vallée au-dessous, l'horizon que fermaient les montagnes, et roulait dans l'espace, comme avec un bruit d'orage éloigné.

— Ah ! murmura Lysel, savons-nous jamais ce que nous faisons ?

— Souvent, répliqua sèchement M. Jaffé.

Rien n'agaçait son esprit rigoureux comme les lieux communs d'un vague pessimisme, les réflexions imprécises, ce qu'il appelait « les mots inutiles ». Il continua, comme dans une démonstration :

— Quand je pense, je sais très bien ce que je pense. Quand vous jouez, monsieur Lysel, vous savez si c'est une sonate ou un concerto, si c'est du Bach ou du Beethoven, ou si vous improvisez ; vous savez même si vous vous surpassez ou si vous restez au-dessous de vous-même.

— Oh ! cela, sans doute ! Mais il y a les vastes territoires inconnus où tâtonnent nos esprits et nos cœurs.

De sa petite voix grêle, qui se fit tranchante, M. Jaffé affirma :

— Ces territoires se rétrécissent de jour en jour :
notre science s'en empare, les défriche, les met en
culture.

Lysel lui laissa le dernier mot, n'ayant nulle
envie de discuter. L'air fraîchissait. Anne-Marie
eut un frisson, que sa mère remarqua.

— As-tu un châle ? Non ? Imprudente !

Lysel offrit d'en chercher un. La jeune fille
s'empressa de refuser :

— Merci, j'irai moi-même.

— Rentrons plutôt, dit M. Jaffé. Il est tard.

Lysel déclara qu'il n'était pas l'heure de se
coucher, que le fumoir était inhabitable, les salons
encombrés, sa chambre trop petite. Il espérait
qu'Irène resterait avec lui. Mais elle était déjà
debout, prête à rentrer.

— Prenez garde de vous refroidir ! lui dit-elle.

Sans le vouloir, et parce que sa tendresse veillait toujours, elle mit dans cette simple recom-
mandation une sollicitude dont Lysel sentit la
douceur.

— Soyez tranquille, je ne crains pas l'air du
soir ! répondit-il en la remerciant des yeux.

— Il est pourtant assez perfide dans ces montagnes, observa M. Jaffé en posant la main sur le
bras de sa fille. On ne saurait être trop prudent !

Ils s'en allèrent sur ces mots. Bientôt leurs
trois ombres, en gravissant l'escalier du perron,
se découpèrent en vigueur sur la nappe de la
lumière. Celles du père et de la fille semblaient se

confondre ; celle d'Irène s'allongeait à côté, solitaire. Il y a des moments où les moindres détails
prennent un sens. En suivant du regard ces trois
ombres qui s'éloignaient ainsi, Lysel songeait :
« C'est moi qui tiens l'espace vide entre elles : seul,
je les empêche d'être tout à fait unies ! » En même
temps, il se remémorait leur histoire, se trouvait
coupable, opposait à son égoïsme la candeur
généreuse de M. Jaffé, dont par sa faute la vieillesse glorieuse serait privée du meilleur, du plus
tiède appui : car la séparation s'élargirait sans
cesse. « J'ai donc fait leur malheur à tous, se dit-il
encore, puisque Irène même n'est pas heureuse ! »
Il savoura l'amertume de ce regret, en le rappro-
chant des impossibles rêves qui avaient autrefois
bercé son amour naissant, comme ils bercent toutes
les passions dans les cœurs illusionnés. « Et cette
petite Anne-Marie qui grandit, qui se méfie, qui
me prend en haine ! Est-ce possible ?... » Ce dernier trait acheva de le désespérer. Il conclut :
« Irène a raison : mieux vaut finir avant que la vie
nous soit plus cruelle, avant qu'elle nous impose
un parti que nous pouvons encore prendre en
beauté, pendant que seuls nous sommes nos juges
et nos maîtres, — si vraiment *cela* ne peut durer
toujours !... » Mais à cette idée de la fin, un tel
froid le glaça jusqu'aux moelles, il se sentit rouler
dans un tel abîme, avec une telle horreur d'en
toucher le fond, qu'il se raidit de tout ce qu'il
avait d'énergie : « Non, non ! Nous avons vaincu

tant d'obstacles, nous sommes si profondément, si indissolublement unis !... Non, non, nous ne permettrons pas à la vie de passer comme un couperet entre nous !... A la mort seule appartient cette horrible besogne !... Nous n'avons qu'un souffle, nous n'avons qu'une âme !... Nous séparer, non, non, jamais !... »

Son imagination l'isolait si bien, qu'il prononça ce « jamais » à voix haute, avec un geste de défi. Il s'aperçut alors que Mme Storm n'avait pas quitté son fauteuil, où elle disparaissait à moitié dans un paquet de châles. Elle les écarta, souleva ses paupières somnolentes, posa sur lui son regard qui s'anima, et demanda :

— Hé ! qu'y a-t-il donc, mon cher monsieur Lysel ?...

— Rien, madame, rien, je n'ai rien dit...

Il balbutiait, honteux d'avoir trahi son émoi devant cette femme qui soupçonnait certainement leur secret, ne pouvait le comprendre, le ravalait sans doute au niveau des souvenirs galants qui voletaient autour d'elle. La vieille dame le tint un moment sous le regard de ses yeux troubles, referma les paupières, et dit :

— Quand un homme dit « jamais », ou quand un homme dit « toujours », c'est quand il pense à ses amours... Et pourtant, ces deux mots-là n'ont aucun sens, mon cher monsieur !... Aucun !... Qu'est-ce qui dure toujours ? Qu'est-ce qui n'arrive jamais ?...

IV

LE MATIN, SOUS LES HÊTRES

Sur la table de sa chambre, Lysel trouva ce télégramme :

« *Hugo frappé d'apoplexie. Venez.* — Louise. »

Au moment donc où chancelait le plus cher appui de sa vie, voici qu'il était encore frappé dans sa meilleure, — dans son unique amitié ! En effet, parmi la foule de ces compagnons d'existence qu'on appelle des amis parce qu'on cause, mange, boit et fume avec eux, Hugo Meyer, son aîné d'une douzaine d'années, était le seul qui méritât ce nom. Robuste et bon, avec son long corps osseux, sa face rouge, sa barbiche et son toupet d'un jaune invraisemblable, le fondateur des fameux concerts cachait sous sa fruste enveloppe une exceptionnelle distinction d'esprit, une large culture, une sensibilité juvénile et charmante : brutal quelquefois et toujours délicat, si passionné pour son art, si vaillant et désintéressé dans sa lutte pour « les maîtres », sa carrière n'avait été qu'une glorieuse bataille au profit des grands méconnus : Berlioz d'abord, puis Wagner, puis César Franck. N'ayant jamais composé qu'un oratorio, dont il avait le premier reconnu la faiblesse, il ignorait les mesquineries que développe trop souvent la rivalité des amours-propres, quand elle complique celle des intérêts. Pas un artiste de ce temps qui n'eût à se louer de lui ! Lysel lui devait plus qu'aucun autre, puisque aux conseils d'art, aux services d'influence, Hugo Meyer avait ajouté beaucoup de ces services de cœur dont le prix est infini : une bonne parole à l'instant même où elle est attendue, une poignée de main plus éloquente que les mots, une visite opportune, le foyer ouvert, l'accueil cordial, tous ces témoignages d'affection qui créent entre les hommes un lien infrangible et magnifique. Aussi, tandis que la feuille jaune tremblait dans sa main, Lysel reconnut-il tout à coup en lui, autour de lui, l'imprégnant comme une atmosphère, cette poignante sensation de solitude, tourment de son âme, dont le délivrait seulement la présence de l'unique amie ou celle de l'unique ami. Sa rapide imagination lui représenta le monde privé de ces deux êtres : un désert s'ouvrit devant lui, ses pas s'enfoncèrent dans le sable, sa langue sécha, il entendit l'aboiement des chacals déchirer le silence des plaines infinies.

Puis la vision s'effaça : il s'oubliait pour penser à Louise. Pas artiste, celle-là, ah ! non ! et ne com-

prenant rien aux petits signes noirs griffonnés
sur du papier réglé ; mais si dévouée et bonne, si
habile à créer du confort, de la sécurité, de la
confiance ! Souvent, il s'était demandé comment
la haute intelligence du maître s'accommodait
d'une telle simplicité. Il se reprocha cette indis-
crète question : « Ils s'entendaient si bien, songea-
t-il, leur union était si parfaite ! Eux aussi, il n'y
a que la mort qui puisse les séparer ! » Et la mort
était là, tout proche. Il en sentit le vol terrible,
et frissonna : « Vouloir se quitter, quand on
sait qu'elle viendra ! Devancer son œuvre
impitoyable !... » A ce retour sur la scène de
tout à l'heure, des larmes roulèrent le long de
ses joues. Il les essuya résolument, et, fixant
son esprit sur des décisions pratiques, se mit
à consulter l'indicateur. Pour rejoindre à Bâle
l'express du soir, il fallait partir le lendemain
vers onze heures. Pourrait-il revenir, ensuite ?
passer auprès d'Irène les dernières journées
intimes qui précéderaient la séparation ?... Du
moins, puisqu'elle était matinale, pourrait-il lui
dire adieu, arracher à sa tendresse un mot où elle
se démentirait ?... Mais si elle persistait dans ses
scrupules ? Après ce départ hâtif, qui lui garderait
son amie ? qui résisterait aux forces adverses dé-
chaînées en elle, contre lui ? qui défendrait ce
qu'il osait appeler « ses droits » ? — ces droits du
cœur, méconnus, imprescriptibles, qu'oppriment
tant d'autres droits réguliers, inscrits dans les

codes, garantis par les lois ! Quoi qu'il en fût,
d'ailleurs, le départ s'imposait : impossible de
repousser le vœu de l'affligée, impossible de se
soustraire au devoir de la reconnaissance, impossible même de remettre d'une demi-journée, puisqu'elle ordonnait, Celle qui n'attend pas !...

La nuit se passa en calculs rétrospectifs, en
vains regrets, en plans irréalisables. Lysel acheva
de s'y énerver. Levé dès le petit jour, il sortit,
erra dans la vallée, puis par la ville, et sitôt la
poste ouverte, envoya une longue dépêche à Mme
Hugo Meyer, pour annoncer son arrivée. Puis il
guetta la sortie de Mme Jaffé. Chaque matin, elle
se promenait un moment après le petit déjeuner,
seule. Paresseux comme les insomniaques, sûr
d'ailleurs de la retrouver plus tard, Lysel l'accompagnait rarement : il regretta tant d'heures perdues, que l'avenir ne ramènerait jamais.

Elle apparut, et s'étonna de le voir :

— Comme vous êtes matinal, aujourd'hui !...

Son regard brillait d'une satisfaction un peu
malicieuse : comme si, attribuant ce zèle à leur
entretien de la veille, elle se réjouissait quand
même d'y mesurer la force du lien qu'elle voulait
briser.

— Je n'ai pas dormi, répondit Lysel.

Ils longèrent la pelouse, où un goût germanique
a semé des gnomes et des lièvres en terre cuite
autour d'un jet d'eau tournant ; et ils entrèrent
dans le parc. De lentes allées montent sous l'ombre

épaisse des hêtres et des sapins. Ce rideau de
feuilles et de branches s'entr'ouvre tantôt sur la
ville avec ses hôtels, ses deux vieilles églises, la
gare enfumée, tantôt sur la Jungfrau qui, toute
vaporeuse, ce matin-là, aérienne, transparente
dans le ciel clair, scintillait aux caresses du soleil.

— Voyez, comme elle est belle ! dit Irène en
s'arrêtant.

Lysel ne répondit pas. Avant d'annoncer la
triste nouvelle, il voulait revenir sur les paroles
de la veille, en demander le désaveu ; il entra tout
de suite au cœur du sujet :

— On prétend que la nuit porte conseil. Est-
ce vrai ? Je l'espère. Elle aurait alors dissipé vos
mauvaises idées d'hier soir !

Irène répondit gravement, sans hésiter :

— Croyez-vous, mon ami, que je vous ai parlé
dans une impulsion irréfléchie ? Voilà longtemps
que je pense à ce que je vous ai dit, que je voulais vous le dire. J'y ai pensé cette nuit encore,
naturellement. Non, je n'ai pas changé d'avis.

Comme il voulait protester, elle l'arrêta tout de
suite :

— Seulement, il faudrait écouter mes raisons,
toutes mes raisons. Et vous ne voulez pas !

— Les paroles donnent souvent à nos idées
une réalité qu'on regrette ensuite, objecta-t-il.
Si seulement vous ne m'aviez rien dit hier !...

Ils suivaient lentement une allée étroite, que
les branches des hêtres recouvraient comme une

voûte, dans une ombre et dans un silence propices aux aveux très intimes.

— Oui, je sais, vous n'aimez pas qu'on s'explique, dit-elle. Il le faut pourtant ! Je tiens à
vous dire tout ce que je pense, quoi qu'il m'en
coûte ! Vous souffrirez de l'entendre, comme j'ai
souffert de le penser. Mais après, vous reconnaîtrez
que je suis dans le vrai.

— Non, non, jamais ! s'écria Lysel.

— Écoutez-moi, vous verrez !

Elle paraissait si résolue, qu'il eut peur de
l'entendre, et ne songea plus qu'à reculer l'échéance.

— Croyez-vous que ce soit le moment de parler
de cela ?

— Vous vous en doutez, puisque vous avez
vous-même engagé la conversation... Et moi, j'en
suis tout à fait sûre... Ce moment est arrivé par
la marche des choses, par la fuite des années,
des mois et des jours, comment arrivent toutes
les heures fatales..., comme arrive celle où l'on
meurt, mon ami !... Pourquoi meurt-on tel jour
plutôt que tel autre ?... Et pourquoi vous dis-je
à présent ce que j'aurais pu vous dire il y a des
mois, ou remettre à l'année prochaine ?... Parce
que j'étouffe, et ne puis plus attendre !...

Elle posa les mains sur sa poitrine, dans un
geste qui soulignait l'angoisse de son beau regard.
Lysel baissa la tête, comme pour dire qu'il écoutait.
Elle reprit, d'une voix qu'apaisa un effort de la
volonté :

— Je ne vous ai parlé hier que des raisons ex-
térieures qui nous imposent une séparation...
Remarquez, mon ami, que je n'ai pas dit : « une
rupture ».

— Quelle nuance ! interrompit-il.

— Il y en a une... Ces raisons sont déjà très
graves, vous l'avez compris : assez graves pour
s'imposer à des gens qui n'ont plus vingt ans...
Cependant il y en a de plus graves et de plus profondes, qui tendent au même but. Celles-ci ne
tiennent ni à notre âge, ni à notre milieu, ni aux
égards que nous devons à d'autres...

Elle parut chercher des mots difficiles à choisir :

— ... Elles viennent de nous-mêmes, de nous
seuls... Elles tiennent à nos caractères, à la nature
de nos sentiments...

— Quelles subtilités ! s'écria-t-il avec un accent
d'ironie.

— Non, non, répliqua-t-elle en s'arrêtant, c'est
très simple, au contraire !

Debout dans l'ombre des hêtres dont les feuillages découpaient en dentelles la lumière matinale,
elle plongea ses beaux regards francs jusqu'au fond
de l'âme de son ami ; et, résumant en ces mots sa
souffrance de beaucoup d'années, — le mal secret
qui dévorait son amour depuis l'époque des premiers enchantements, — elle dit :

— Il faut la pleine lumière à une belle affection !

Ce n'était pas la première fois qu'en leurs

heures les plus intimes, elle invoquait ainsi la
vérité ; jamais encore cette invocation n'avait
eu le caractère presque solennel qu'elle prit à ce
moment. Lysel détourna les yeux. Du bout de sa
canne, il repoussa machinalement quelques cail-
loux sur le chemin. Puis, gêné par ce regard qui
continuait à peser sur lui, il risqua une objection
dont il sentait la misère :

— Il y a si peu d'ombre sur la nôtre !

— Il y en a, répliqua-t-elle.

— Ceux que « cela regarde », — Lysel pesa
sur les deux mots, — ont si bien compris !

— Nous l'avons cru : si nous nous trompions ?...
L'on entend tout ce qu'on veut, dans le silence,
on l'interprète à son gré... Ma fille, en tout cas,
ne sait que penser ; moi, je n'ose penser à ce qu'elle
soupçonne !

Elle se remit à marcher, plus nerveusement :

— D'ailleurs, il y a les autres : les étrangers...

Il se révolta :

— Par exemple !... Ceux-là, nos affaires...

Elle ne le laissa pas achever :

— Il faut bien que nous leur reconnaissions
un droit à s'occuper de nous, puisque nous nous
cachons d'eux... Certainement, nous dissimu-
lons !... En leur présence, vous m'appelez « madame », je vous appelle « monsieur... » Nous
affectons presque l'indifférence... Tenez ! quand
j'entends discuter votre talent, j'ose à peine vous
défendre... Oh ! je vous défends quand même,

vous savez !... Pas comme je voudrais, non... Car
alors, je meurs d'envie de leur crier : « Taisez-
vous donc ! Ne comprenez-vous pas qu'il est toute
ma vie ?... »

— Vous voyez !... s'écria Lysel. Vous voyez que
vous m'aimez toujours !...

— En doutez-vous ?... Mais il y a du mensonge
autour de nous, sur nous, en nous, dans nos paroles,
dans nos actes, dans nos pensées !... Nous en
sommes entourés, nous en sommes imprégnés : il
se lève comme une poussière sous nos pas, nous
le respirons avec l'air comme un miasme... Notre
amour en est souillé, sali, empoisonné !... C'est
cela qui me tue, c'est cela que je ne puis plus supporter !...

Le sang affluait à ses joues, ses lèvres frémissaient, elle vibrait toute. Comme il restait atterré
par cet éclat, elle continua, en s'arrêtant encore :

— Vous ne savez pas ce que c'est que la vérité !...
Ce n'est pas une petite lueur hésitante qui vacille
dans les ténèbres : c'est un rayonnement, c'est
une gloire !... On ne peut pas lui mesurer sa part,
lui cacher la moitié de ce qui est à elle, lui mar-
chander ce qu'on voudrait garder dans l'ombre !...
Quand elle se met à traquer le mensonge, elle
l'atteint, ne le lâche plus : il n'y a nul recoin écarté
de l'âme où il puisse la fuir !... Mon Dieu ! que j'ai
souffert de lui dérober une part de mon être, la
plus grande, celle que j'aurais voulue la plus pure !...
Que j'ai souffert de cette magnifique chose qui

n'est belle que dans la lumière : de l'amour !...
De l'amour qui devrait être une source de joie !...
Je ne vous fais pas l'injure de croire que vous
ignorez cette douleur-là !...

En la voyant emportée en un tel élan, Lysel
manqua de courage pour lui répondre qu'il aimait
son amour au-dessus de tout et ne pensait jamais
qu'à la conserver.

— Mais c'est ainsi !... reprit-elle d'un ton plus
mesuré, les yeux vers le passé. On écoute la voix
de son cœur : elle chante si doucement !... Elle
raisonne, aussi : elle est si captieuse !... Oh ! elle
raisonne à merveille, comme un avocat !... L'avocat
des causes sympathiques, vous savez ? Il a si facilement l'air d'avoir raison !... Et puis le juge est
partie, et ne demande qu'à se laisser convaincre...
Et un jour, on se trouve là où nous sommes !...

En parlant ainsi, elle revoyait comme dans un
songe rapide, loin derrière eux, dans des heures
essentielles, leurs longues années de dévouement,
de tendresse, de fidélité. Elle retrouva dans son
souvenir l'amertume de tous les adieux, la tristesse de toutes les séparations, la douceur de tous
les retours. Elle revit Lysel en divers moments
où, sans autre raison qu'un inexplicable mouvement du cœur, le portrait de son ami s'était gravé
dans ses yeux : un jour où, l'ayant accompagnée
à la gare de Lyon, il lui disait adieu devant le
wagon, enveloppé dans une cape espagnole qui
le faisait ressembler à un héros romantique ;

un autre jour où, en veston de chasse, il buvait
dans sa main l'eau glacée d'une source de montagne qui coulait du rocher ; un autre jour encore
où, dirigeant un concert, il s'était tourné vers elle,
rayonnant de jeunesse et de force, pendant qu'on
l'acclamait. Elle mesura la profondeur de leur
union, la pleine sécurité qu'avait gardée son cœur,
la beauté de leur confiance réciproque qu'aucun
malentendu n'avait jamais altérée, tout ce qu'il
y a de doux, d'enivrant, de splendide dans un sentiment qui s'épanouit malgré la vie, plus fort
qu'elle, et subsiste parmi ses naufrages ; et elle
dit, sans cacher son émotion :

— Je ne regretterai jamais de vous avoir aimé ;
mais on ne fonde rien de beau, ni de bon sur le
mensonge !

Lysel la crut reconquise, lui prit la main, mit
dans sa voix toute sa tendresse, qui se fit câline
et plaintive pour mieux l'envelopper :

— Si vous ne regrettez rien, chérie, si vous m'aimez encore, si vous êtes la même, alors, dites,
pourquoi parler de séparation ?

L'angoisse reparut aussitôt dans les yeux
d'Irène, qui se dégagea.

— Il y a des heures décisives où l'on peut
encore se reprendre, dit-elle gravement. Je sens
que nous sommes dans une de ces heures-là,
mon ami, je l'entends sonner dans ma conscience...
Nous pouvons encore remettre notre vie dans la
vérité : cela ne dépend que de notre courage...

Ah ! si vous vouliez m'aider à en avoir !... Mais
voilà que vous faites vos yeux tristes !... Je vous
en supplie, ayez de l'énergie, aidez-moi !...

Elle suppliait, elle faiblissait. Peut-être Lysel
fut-il touché d'une telle détresse, et songea-t-il
à lui sacrifier son cœur ; peut-être, au contraire,
voulut-il tenter de la reconquérir, à tout prix. Il la
regarda plus tristement, plus tendrement, et il dit :

— Les événements sont pour vous, ma pauvre
amie !... Je ne puis me défendre, à peine ai-je
encore le temps de vous répondre : je vais partir
tout à l'heure.

Elle pâlit et s'écria :

— Déjà !

Et tout l'échafaudage de ses scrupules, de ses
résolutions, de ses énergies, s'écroula sur ce mot :
un éclair illuminait son âme où l'amour seul
rayonna.

— Mon Dieu ! s'écria Lysel, bouleversé de sa
victoire, si c'est ainsi..., pourquoi m'avez-vous
fait si peur ?

En peu de mots, il raconta la maladie de Hugo
Meyer, la dépêche de Louise, sa réponse, l'heure
qui pressait. Elle s'attendrit en l'écoutant, elle
fut de nouveau l'amie compatissante, qui oublie
toutes ses douleurs devant celles de son ami :

— Vous avez un tel chagrin, et je ne m'en dou-
tais pas !

— Mais comment voulez-vous que je vous
quitte, après ce que vous m'avez dit ?

— Oh ! partez !... L'amitié est aussi belle que l'amour !... Elle a ses droits... Partez ! vous n'avez rien à craindre tant que vous êtes dans la tristesse !... En de pareils moments, vous me trouverez près de vous !...

— Et après ?...

— ... Toujours !

Si dévouée, si profonde était leur tendresse, que l'ombre de la mort, en rampant vers eux, les rapprochait davantage...

DEUXIÈME PARTIE

I

Lysel à Madame Jaffé.

... MES pires craintes ne se sont pas réalisées :
j'ai retrouvé le vieil ami, le vieux maître,
le *père*, comme nous l'appelions quelquefois. On
le sauvera peut-être. « Puisqu'il n'est pas mort
sur le coup », dit le médecin, il a « des chances de
s'en tirer ». S'il ne s'agit pas d'une guérison à peu
près complète, faut-il la souhaiter ? Je ne puis
m'imaginer mon Hugo Meyer poussé dans un fauteuil roulant, je ne puis le concevoir sans tous les
traits qui l'ennoblissent : l'intelligence, l'amour
de l'art, la générosité. Parmi les fins cruelles qui
nous menacent, celle où l'être survit à sa propre
pensée me paraît la plus misérable. Pourtant, je
crois que sa pauvre Louise aimerait mieux le garder, même ainsi. Je n'ai jamais vu tant de douleur
dans des regards humains. Elle est écrasée. Je ne
sais combien de fois elle a déjà recommencé le
récit de la catastrophe, avec de légères variantes,

comme si les faits se déformaient à force de tour-
ner dans son esprit :

« Comprenez-vous, mon bon Lysel ?... Il avait
dîné comme les autres jours, plutôt mieux, en se
régalant !... Je lui avais fait une carbonnade de
bœuf, vous savez, ce plat qu'il aime tant, et une
belle quiche à la mode de son pays ! Après quoi,
il avait pris son café avec deux verres de mira-
belle... Même que je lui ai dit : « Mon poulot, tu
as tort d'en prendre deux : ça va t'empêcher de
dormir !... » Il m'a répondu : « Quelle idée, il n'y
a rien de meilleur pour la digestion !... » Et puis,
il s'est levé pour aller au balcon. Il m'a appelée
pour me dire : « Regarde un peu du côté de l'Arc
de Triomphe, ces nuages rouges, est-ce assez
beau ?... » Il ne se promenait pas souvent, vous
savez, mais il ne manquait jamais un beau couchant !... J'ai regardé comme il disait, et je lui ai
répondu : « On dit que c'est un signe, un présage,
que ça annonce des choses, enfin, quoi !... » Il
m'a dit, comme il me disait toujours quand je lui
parlais de mes superstitions : « Ma pauvre Louise,
où as-tu pris ces idées-là ?... » Et il a bourré sa
pipe, sa vieille pipe en porcelaine qu'il a rapportée
de Bayreuth, en souvenir, après la première de
Parsifal... Il l'allume, il en tire quelques bouffées...
Et voilà qu'il dit tout à coup : « Qu'est-ce qui me
prend ?... Mais qu'est-ce que j'ai ?... Qu'est-ce que
j'ai donc ?... » Et il se lève, il recule en battant l'air
de ses bras, il devient violet, il tombe du fauteuil,

comme une masse... Depuis, il est resté comme vous
l'avez vu !... »

Louise m'a aussi raconté leur histoire, que
j'ignorais : nous connaissons si peu nos amis ! Elle
a quelques années de plus que lui. On ne le dirait
pas : elle a gardé une espèce de jeunesse, tandis
qu'il vieillissait beaucoup, ces derniers temps. Elle
était la femme d'un musicien de l'orchestre du
théâtre de Strasbourg, où Hugo Meyer a débuté,
voilà quelque quarante ans. Ils se sont aimés, dès
la première rencontre, et ils sont partis ensemble :
« On s'aimait trop, mon bon Lysel, on n'aurait pas
pu faire autrement ! » Pour elle, c'est tout simple :
elle n'a jamais eu l'ombre d'un remords. Du reste,
ils ne sont pas mariés. Comme ils sont restés loin
du monde, ils n'ont pas à compter avec ses exigences ; aussi ne souffrent-ils pas de leur position
irrégulière. Je crois d'ailleurs qu'ils s'en aperçoivent à peine : « On m'appelle Madame Meyer : il
faut bien ! c'est tellement plus commode !... »
Le mensonge ne lui pèse pas, ou même, à ses yeux,
a dès longtemps cessé d'être un mensonge : elle
et son Hugo ne font qu'un ; l'état civil ne saurait
rendre leur union ni plus complète, ni plus solide.
Le seul lien qui les attache l'un à l'autre, c'est
leur sentiment. Comme ils n'ont pas de religion, ce
lien leur suffit : il leur semble aussi fort qu'aucun
autre sanctionné par les lois, béni par l'Église.
Je comprends maintenant le sens d'une phrase
que le vieux maître répétait souvent : « Quand

on comprend bien les leçons de la nature, on est sûr d'avoir toujours raison. » Je n'en suis pas aussi sûr que lui...

Il y a parfois de singulières correspondances entre des choses qui se ressemblent peu ! Pendant que cette pauvre Louise me racontait ses affaires, je me suis rappelé vos paroles de l'autre soir : « Il faut la pleine lumière à toutes les belles affections ! » Celle que j'ai sous les yeux est très belle, dans sa simplicité, parce qu'elle est sincère, intense, exclusive, fidèle. Malgré le petit mensonge social qu'ils se sont permis, ou qu'ont tissé autour d'eux l'habitude et la complaisance des amis, on peut dire de ces deux êtres qu'ils se sont établis dans la vérité, puisqu'ils s'appartiennent aux yeux de tous. Et devant ce lit où le brave Hugo revient lentement à la vie, je me demandais, en pensant à vous comme toujours : « Si l'un de nous deux était frappé de même, l'autre serait-il à son chevet pour le soigner ou lui fermer les yeux ?... » Dès lors, je songe aux revanches de la vie, et j'ai peur. Je remanie le plan de notre existence. Œuvre stérile, puisque nous l'avons derrière nous ! Je me dis que nous aurions mieux fait d'agir comme Hugo et Louise, comme tant d'autres qui se sont joints en brisant leurs chaînes. Quand on s'aime, il faut aller l'un à l'autre à travers tout ! Je sais qu'il y avait entre nous quelque chose de plus sacré qu'un obstacle légal : la reconnaissance, la pitié, l'honneur, tant de sentiments impérieux dont l'ordre nous séparait. Certes, je ne regrette pas de leur avoir obéi ; pourtant, Hugo et Louise ont eu la bonne part... Ah ! mon amie, comment pouvez-vous désirer que nous soyons plus séparés ! Voyez ! j'aurais besoin de vous avoir près de moi, à cette heure où je veille au chevet de mon plus cher ami : et vous n'êtes pas là ! Je vais partir. Pendant cinq longs mois, je serai seul dans cet autre monde où, parmi des êtres différents, on se sent tellement abandonné !... Que vous faut-il de plus ?... Cependant nous arrivons à cet âge où l'affection se fait plus tendre, plus profonde, plus intime, — où elle nous est d'autant plus nécessaire qu'on est entouré de plus de ruines, — où l'on souffre plus mortellement de cette affreuse solitude d'âme que le contact de tous les humains à la fois ne suffirait pas à combattre, et qui se dissipe dès qu'on est deux !... L'amour et l'amitié sont les seuls boucliers que nous puissions opposer aux forces ennemies du destin. Et ce n'est pas la jeunesse qui est l'âge de l'amour : elle n'est que celui du plaisir. On n'aime vraiment que quand on a fait le tour de la vie, et qu'on sait ce qu'on donne et ce qu'on reçoit ; on n'aime qu'avec la pleine conscience de son être, quand on a éprouvé que rien autre, rien, rien, ne vaut la peine de vivre. C'est pourquoi, quand on a appris à s'aimer comme nous, on ne conçoit pas d'autre séparation que la mort.

Je suis tellement dominé par ces idées, mon amie, que je pense à peine à mon opéra. Pourtant,

les répétitions ont commencé. Ce *Conrad Wallenrod*
qui m'a si passionnément intéressé, dont j'attendais tant, me paraît maintenant bien loin de moi.
J'appartiens tout entier à l'ami dont le salut est
encore incertain, à vous qui êtes si loin, à vos
tristes paroles. Que mes œuvres sont peu de chose,
en regard de ce qui remplit mon cœur ! J'écoute
ma musique, et j'ai l'âme ailleurs. Est-il possible
qu'il y ait jamais eu des artistes assez déformés
par le travail ou le succès, pour attacher plus d'importance à ce qu'ils font qu'à ce qu'ils éprouvent ?
Ceux-là, j'en suis sûr, ne m'auraient jamais fait
pleurer ; je ne voudrais pas être l'un d'eux, au
prix de toute leur gloire...

Madame Jaffé à Lysel.

... Vous savez si j'admire Hugo Meyer pour son
courage, son désintéressement, les belles et rares
vertus dont sa carrière d'artiste est le constant
témoignage ; vous savez aussi que je l'aime,
puisque je lui dois de vous connaître. Mais votre
bonne Louise, il faut que je vous l'avoue, m'a
toujours paru par trop inférieure à son... j'allais
dire à son mari, par habitude, et voilà qu'il me
faut écrire : à son compagnon ! Vous voyez qu'ils
ne sont pas tout à fait *dans la vérité :* encore qu'ils
en soient moins éloignés que nous, je l'avoue.
Que voulez-vous ? je ne saurais concevoir l'amour
sans une certaine égalité : qu'est-ce que cette

excellente personne a pu être pour Hugo Meyer, en dehors des quiches et des carbonnades de sa cuisine ? Je ne me le représente pas. Vous-même, mon ami, vous figurez-vous ce que serait votre existence aux côtés d'une telle compagne ? Hugo Meyer, qui a tant d'intelligence et de sentiment sous son enveloppe un peu rude, n'a-t-il pas dû souffrir de ce contact ? A moins que la rudesse de l'enveloppe n'explique tout. Pardonnez-moi de vous dire cela en ce moment : c'est que, dans mon esprit, *cela* se relie au reste, parce que, comme vous le dites, il y a de singulières correspondances entre des situations ou des événements qui semblent très éloignés. En constatant que ces deux êtres, si différents à certains égards, ont réalisé une espèce de miracle d'amour qui a duré quarante ans, je me demande ce que nous aurions fait, nous si semblables, si nous avions pu réunir nos destinées. Semblables jusque dans la nature de notre sensibilité, jusque dans certains détails de notre vie, jusque dans certaines impressions d'enfance que nous retrouvons en causant. A cela près que vous êtes un grand artiste, un créateur, et que je ne suis, moi, qu'une pauvre petite femme tout au plus capable de bégayer vos mélodies. N'est-ce pas là, d'ailleurs, un rapprochement de plus ? Vous n'eussiez peut-être pas aimé une émule. Plus près de vous, j'aurais été votre reflet, votre chère ombre !... J'aurais été, quelle mélancolie !...

Depuis votre départ, Anne-Marie est plus con-

fiante avec moi, plus tendre. Il faut que vous le
sachiez, mon ami, ce sont les yeux de cette enfant
qui m'ont fait comprendre tout ce que je vous ai
dit ! Vous n'imaginez pas ce qu'une mère peut
lire derrière le front de sa fille : les pensées que je
devine en elle me sont un continuel reproche ;
c'est pour elle plus encore que pour moi que j'aspire
à la vérité. Mais à quoi bon vous répéter ces choses ?
Nous avons, de nos mains, tissé notre destinée :
peut-être n'est-il plus en notre pouvoir d'y rien
changer. Vous le croyez ; j'en voudrais être sûre :
ce « peut-être » m'est douloureux...

Lysel à Madame Jaffé.

... Mon vieux maître a repris connaissance. Il
va mieux, bien qu'il ait encore la parole embar-
rassée, une certaine incohérence dans les idées,
des trous étonnants dans la mémoire. Le médecin est de plus en plus rassurant, Louise de plus
en plus rassurée. Sa joie est touchante. Elle me
dit : « Vous comprenez, Lysel, nous n'avons plus
beaucoup d'années à passer ensemble, il faudra
bien que l'un de nous deux parte avant l'autre ;
mais c'est toujours autant de pris sur la séparation !... » Oui, je comprends l'impression que vous
avez d'elle, nous sommes trop accoutumés à tout
nous dire pour que je sois peiné de vous l'entendre
exprimer, même en ce moment. Mais n'avez-vous
jamais remarqué combien nos opinions sur les

gens se modifient, selon que nous les avons vus
dans ces heures où l'âme se découvre jusqu'à son
tréfonds, ou seulement dans les attitudes banales
que détermine le train-train des événements
journaliers ? Aussi puis-je dire que je ne la connais
vraiment que depuis quelques jours. Voulez-vous
que je vous l'explique en deux mots ? Voici : de
même que Hugo Meyer, sous la rudesse des manières,
cachait *une finesse d'esprit* que vous appréciiez au
point d'en oublier tout ce qui, sans cela, vous déplai-
sait en lui, de même Louise, sous ses dehors frustes,
cache *une exquise délicatesse de cœur*. Là est le
point de contact que vous cherchez, mon amie :
ils se sont reconnus et liés par ces qualités simi-
laires ou complémentaires, non par leurs défauts,
comme vous l'avez cru...

... Je suis vos conseils, je m'intéresse à mon
Wallenrod, je me reprends à l'aimer comme si je
venais d'en écrire la dernière note, je m'inquiète
du sort qui l'attend. Depuis Wagner, à deux ou
trois exceptions près, les opéras qui ont un peu
réussi ne sont guère que des ouvrages plus ou moins
bien faits, qui plaisent par leur facture ou séduisent par leur agrément : combien y en a-t-il qui
réalisent une conception d'art vraiment personnelle, ou qui en approchent ? Tel est le malheur
des successeurs d'Alexandre, en quelque domaine
qu'Alexandre ait régné : ils sont écrasés par son
héritage. Or, si mon *Wallenrod* n'a aucune de ces
qualités d'agrément, qui sauvent une œuvre, je ne

suis pas sûr qu'il en ait de plus puissantes en compensation. Vous le connaissez, vous avez dû
remarquer ou pressentir des points faibles, si
votre affection pour le compositeur laisse un peu
de liberté à votre jugement. La faute ne m'en
incombe pas à moi seul. Le poème de Mickiewicz
est rude et lyrique à la fois, sans beaucoup d'éléments dramatiques. Notre ami Pack, dont les
vers ont de la poésie, n'y a rien ajouté. Quant à
moi, j'ai tâché de broder, là-dessus, une sorte de
symphonie en quatre parties, d'une trame serrée
et sévère, qui fera peut-être ressortir les incon-
vénients du livret, au lieu de les dissimuler. J'en
étais enchanté quand je vous jouais ma partition,
il y a deux ans, et quand vous déchiffriez, de votre
chère belle voix, la partie d'Aldona. A présent,
je suis rempli de doutes : je ne suis plus sûr de la
nouveauté de ce que je croyais avoir trouvé ; je
ne sais plus si je suis resté trop au-dessous de mon
intention ; mais je vois clairement ce qu'il y a
dans l'œuvre de pénible, parfois de choquant. La
« première » reste fixée au 30 octobre. Comme je
dois m'embarquer, coûte que coûte, le 6 novembre,
j'espère qu'elle ne sera pas retardée. Je compte
bien que vous y serez. Est-ce que je le désire, pourtant ? En vérité, je n'en sais rien ! S'il y avait
bataille, si j'étais vaincu, j'aimerais mieux que vous
ne fussiez pas là ! Non par amour-propre, je vous
assure, mais parce que vous souffririez pour moi,
plus que moi ; et je voudrais tant vous éviter tout

ce qui fait mal, je voudrais tant que vous n'eussiez
par moi que de la joie !... D'ailleurs, vous savez,
les coups de la vie extérieure, je puis les supporter
seul : ils ne m'entament pas. Ce n'est pas contre
ce qui vient du dehors que j'ai besoin de vous
sentir avec moi : c'est contre les ennemis du de-
dans, que vous seule savez mettre en fuite. C'est
contre la solitude, cette harpie que je promène
partout avec moi. Avez-vous vraiment songé à me
livrer à ses griffes ? Dès que je suis loin de vous,
je les sens dans ma chair. Allez, je serais bientôt
dévoré !...

Madame Jaffé à Lysel.

... Pourquoi voudriez-vous me priver de ma
part de votre chagrin, si quelque chagrin vous
menace ? N'y ai-je pas droit ? N'est-ce pas juste-
ment contre la peine que nous pouvons le mieux
nous unir et nous aider ? Nous ne nous donne-
rons jamais l'un à l'autre une joie complète : il
y a une barrière entre la joie et nous. En revanche,
toute affliction nous sera commune : qui nous
contesterait ce lot ? J'ai soif de bonheur, comme
toutes les femmes ; je ne puis le chercher que là où
il nous est permis de le prendre. Or, il est toujours
permis à ceux qui s'aiment de s'affliger ensemble :
le chagrin n'offense personne. C'est pourquoi, s'il
vous arrivait un malheur, — fût-ce un de ceux
contre lesquels je vous sais très brave, — je serais
près de vous !

N'allez pas croire toutefois que je vous souhaite un échec pour pouvoir vous en consoler. An ! non, je ne vais pas si loin ! Je ne serais pas de ces gardes qui empoisonnent un malade pour le plaisir de le mieux soigner. Vous avez eu jusqu'à ce jour une belle carrière, facile, harmonieuse, avec le vent du succès dans vos voiles. Ce bon vent ne tournera pas. J'ai confiance. Je crois en *Wallenrod* : ce sera un triomphe !...

... Vous avez vu par l'en-tête de cette lettre que nous sommes à Lugano. Il faisait trop froid à Interlaken : M. Jaffé m'a déclaré que nous rentrerions directement à Paris, sans faire à Triel notre séjour habituel. Soit ! En attendant, ce lac est d'un violet merveilleux, et il y a, dans l'église de Sainte-Marie-des-Anges, une immense fresque de Luini, une magnifique Crucifixion. Je vais l'admirer souvent, à cause de la Madeleine extasiée au pied de la croix. C'est une des figures les plus pathétiques que j'aie jamais vues, une de celles où il y a le plus d'amour. La connaissez-vous ?...

. . . .

P.-S. — Quant à votre amie, la bonne Louise, pardonnez-moi : je dois avoir tort. Que voulez-vous ? on a ses préjugés, comme tout le monde.

Lysel à Madame Jaffé.

... Vos lettres sont pour moi un délicieux réconfort. J'attendais la première avec angoisse, parce que je craignais d'y trouver des traces de vos idées d'Interlaken. Depuis que j'ai lu entre les lignes que vous m'êtes rendue, — j'ai bien lu, n'est-ce pas ? — je les attends avec l'impatience d'un amoureux de vingt ans qui court à la poste restante. Comme je n'ai plus vingt ans, j'éprouve quelque fierté de me sentir le cœur si frais !

A ce propos, maintenant que votre retour approche et que j'ai la certitude que vous n'avez pas changé pour moi, je puis vous dire une chose..., une très vilaine chose que je n'ai pas encore osé vous confesser. Je craignais trop de baisser dans votre estime ! Je le crains un peu moins maintenant, je ne sais trop pourquoi. D'ailleurs, tant pis ! Si vous avez envie de me blâmer, vous songerez que c'est pour vous, pour vous seule que j'encours votre indignation : et vous serez plus indulgente. Mais si je me trompais, si l'idéaliste que vous êtes allait me prendre en mépris ? Enfin, voici : *J'ai plus besoin d'amour que de vérite.* Je souligne, avec le confus sentiment que je vous dis une chose énorme, une chose qui me ferait honnir par mes congénères du sexe fort, plus solides que moi, peut-être même par quelques femmes, de celles qui ont la pédanterie de leur vertu. J'écris

quand même cette phrase subversive, criminelle,
épouvantable, parce qu'elle exprime exactement
mon idée. Cette idée, je l'ai avec véhémence depuis
le soir d'Umspunnen. En raison de son cynisme,
elle a mis du temps à se formuler dans mon esprit ;
depuis qu'elle y a pris corps, elle y tourne, elle y
fait le vide, elle s'impose à ma sincérité. J'éprouve
même un irrésistible besoin de la répéter, — pour
que vous ne la croyiez pas inconsidérée ou passagère,
— avec une petite variante qui me plaît : *J'aime
mieux l'amour que la vérité*. Je ne sais pas très bien
ce que c'est que la vérité : le peu que j'en ai en-
trevu, par-ci par-là, ne m'a jamais enchanté, et
je soupçonne que vous vous faites sur elle d'énormes illusions. Au contraire, je sais ce que c'est
que l'amour : c'est pourquoi je ne puis m'en passer.
Tellement que si je m'écoutais, je récrirais et
soulignerais pendant quatre pages cette phrase
que peu d'hommes oseraient écrire : *J'aime mieux
l'amour que la vérité*. Si je ne le fais pas, c'est que
j'ai peur de vous fâcher. Mais je vous jure que,
quand on a réalisé l'amour comme nous l'avons
fait, on n'y renonce qu'à la mort. Et l'on tâche
de mourir ensemble, comme les amants qui en
ont eu la chance, — les uns célébrés par la légende,
les autres obscurs et qui ne s'en aimaient que
mieux !

Madame Jaffé à Lysel.

Non, mon ami, l'on ne doit pas compter sur la
mort pour arranger ses affaires de cœur. Elle est
une capricieuse, dont nous ignorons les secrets
desseins. Tout ce que nous savons, c'est qu'ils
s'accordent rarement avec nos calculs, nos vœux
ou nos craintes. Il y a peu de chances pour qu'elle
nous frappe jamais ensemble : elle n'a guère de
telles délicatesses ! Aussi n'attendons rien d'elle ;
dans les limites où nous le pourrons encore, tâchons
de rester les artisans de notre destinée. Ces limites
se trouvent bien resserrées par les actes qui nous
ont engagés. J'en sens cruellement l'étroitesse,
pour ma part, puisque j'ai un égal besoin d'amour
et de vérité. Il me faut l'amour dans la vérité,
comme il me faut la vérité dans l'amour : je meurs
de ne pouvoir les réunir. Vous ne vous trompez
pas, toutefois : j'ai trop présumé de mes forces
en croyant qu'il me serait encore possible de sacrifier celui-ci à celle-là. Je m'en suis aperçue au
moment de votre brusque départ, sous les hêtres
de cette allée où je n'ai plus repassé sans un frisson.
Je m'en aperçois mieux encore en songeant à cet
autre départ si proche, à cette autre séparation
prolongée que nous avons acceptée d'un commun
accord, et dont la pensée me devient plus douloureuse à mesure que l'heure en avance. Je suis
assaillie de craintes étranges, — de ces « pho-

bies » qui m'étreignent quand vous êtes loin.
J'ai peur de la mer et du vent, du vaisseau qui
vous portera, des mille dangers qui menacent
une chère existence quand on n'est plus là pour
la surveiller. J'en fais constamment l'effrayante
revue. J'ai peur de la fatigue, de la maladie, de
l'imprévu, des accidents de chemins de fer, des
naufrages, des incendies. J'ai peur de mille autres
choses que je n'oserais jamais vous dire. Mon ami,
je crois que j'ai peur des Peaux-Rouges ! Que ce
soit donc votre dernier départ !

Suis-je assez loin de notre entretien d'Umspunnen, dites ? Et pourtant j'avais raison, et ne
devrais peut-être pas vous laisser voir à quel point
je me déjuge. Mais comme vous avez éprouvé le
besoin de m'avouer votre faiblesse, j'ai celui de
vous crier la mienne, — et j'y cède ! Notre lien
est ce qu'il est, tel que l'a fait la collaboration du
hasard et de notre volonté, des événements et de
notre faiblesse, tissé de mal et de bien comme toutes
les choses humaines, avec, hélas ! ce fil de mensonge qui me désespère, que nous n'avons pas le
pouvoir d'en ôter, et dont je voudrais que vous
souffrissiez autant que moi, si cela ne faisait pas
si mal ! Et ce lien est infrangible, je le sais, je le
sens, je vous le dis !

Je vous devine énervé, attristé, douloureux,
pauvre ami, comme vous êtes dans les mauvais
jours. Alors toutes les autres pensées s'effacent :
je sais seulement que vous souffrez et que je ne

puis vous consoler, que vous êtes inquiet et que
je ne puis vous rassurer, que votre harpie de la
solitude vous harcèle et que je ne puis la mettre
en fuite ; je crois voir vos grands yeux tristes,
ces yeux que vous faites quelquefois et où je voudrais ramener le sourire au prix de ma vie ; et je
compte les jours qui nous séparent encore : il
n'y en a plus beaucoup, mon ami ! Attendez sans
crainte, — rien qu'avec de la joie, — le retour :
je ne vous dirai plus rien de ce qui vous afflige, je
tâcherai de ne plus le penser ; comme autrefois,
comme à présent, comme toujours, si l'espace
s'étend entre nous, nos deux âmes le franchiront
d'un coup d'ailes pour rester voisines, tendres,
aimantes, fidèles ; si fidèles, mon ami, si unies, que
la mort même ne suffirait pas à les disjoindre. —
Je deviens trop tendre, à bientôt !...

M. ANTONIN JAFFÉ

On a tant de choses à se dire à l'heure du revoir, —
tant de peine à les exprimer ! Tout près l'un de
l'autre après la longue attente, la distance abolie
vous sépare encore : comme s'il fallait du temps
pour renouer le fil rompu par l'absence.

Averti dans la soirée du retour de Mme Jaffé,
Lysel se présenta chez elle dès le lendemain, peu
après déjeuner.

Les Jaffé habitaient, à la rue du Docteur-
Blanche, un aimable petit hôtel retiré et silen-
cieux. Un rideau d'arbres le séparait des maisons
du boulevard Montmorency. Dans le jardin, assez
grand, qui l'entourait, des bosquets suivaient les
contours d'une pelouse parfaitement régulière,
que décoraient des corbeilles toujours garnies des
fleurs de saison. En ce moment, les premiers chry-
santhèmes commençaient à s'ouvrir : déjà leurs
têtes échevelées mélangeaient leurs nuances vieil
or, jaune paille, lie de vin, tandis que, dans les
bosquets, les feuilles rouillées ou pâlissantes se
détachaient des branches, tombaient sur les allées

avec un bruit léger. L'aspect de la maison trahissait les aménagements hâtifs de la rentrée :
fenêtres sans rideaux, portes béantes, malles ou-
vertes encombrant les vestibules. Irène, toutefois,
pressentant la visite prochaine, avait à peu près
mis en ordre son petit salon du rez-de-chaussée,
où déjà les bibelots familiers se retrouvaient à
leurs places. En l'y attendant, Lysel les passait
en revue. Plusieurs étaient des présents rapportés
de ses voyages. Il reconnut ainsi, sur la cheminée,
les deux jolis vases en ancienne porcelaine anglaise,
à décors de fleurs vives sur fond noir, qui se faisaient pendant des deux côtés du groupe où Rodin
a représenté les amants de Rimini emportés par
l'éternel tourbillon ; la console-applique floren-
tine, sur laquelle un sablier d'argent attendait
qu'on le retournât pour marquer la fuite du
temps ; les vieux vases de Murano, d'une eau si
belle, d'un travail si simple. Sur les parois, dont
la tenture bleu de Perse s'accordait avec le brun
fauve du meuble Empire, se détachaient dans leurs
cadres d'or bruni des peintures qui lui parlaient
toutes : deux portraits d'inconnues au pastel, dans
la manière de Liotard ; une belle copie de l'*Homme
malade* de Sebastiano del Piombo ; deux superbes
fusains de Fontanesi, ce grand artiste qu'on commence seulement à tirer de son injuste oubli ;
surtout une admirable réplique de l'*Éternelle
Chimère*, de Carlos Schwab : dans la sérénité du
décor paisible, cette œuvre pathétique, complétant

le groupe plus mouvementé de Rodin, exprimait comme dans un autre langage la souffrance éternelle et l'éternel désir de deux êtres que leur élan veut emporter, dont les pieds se soulèvent avec peine, qu'appelle la cime de neige, transparente et rose dans le couchant. Lysel avait toujours aimé cette œuvre où la perfection de la forme exprime un si profond sentiment de notre destinée ; à cette heure, elle lui rappelait les inoubliables moments d'Umspunnen, quand Irène, devant les glaciers où mourait la lumière, lui avait révélé avec tant de douleur l'effort impuissant qui l'emportait vers la vérité...

Elle entra. Elle portait une toilette de velours gris-vert, dont le ton formait avec la nuance de ses cheveux une de ces délicates harmonies qu'elle recherchait. Que de fois ils s'étaient ainsi retrouvés, puisque, malgré leur effort pour rapprocher leurs vies, ils s'en allaient souvent vers d'autres lieux : lui, en cédant aux exigences de sa carrière d'artiste ; elle, pour obéir à quelque secousse de la chaîne qu'ils n'avaient pas voulu rompre. Chaque absence leur ménageait la même sourde inquiétude de ne plus se revoir, chaque retour la même émotion qu'ils ne pouvaient exprimer. Une force invincible les tenait alors séparés. Jamais leurs cœurs n'étaient plus proches, jamais ils ne savaient moins le dire. Leurs premiers propos ressemblaient à ceux d'étrangers que le hasard réunit dans un salon, et qui cherchent un sujet où joindre leurs pensées.

Irène s'informa d'abord de Hugo Meyer ; Lysel donna des nouvelles rassurantes :

— Il est si bien, depuis quelques jours, qu'il parle de venir à ma « première ».

Il dit cela d'une voix neutre, elle l'écouta sans intérêt apparent : si cher que leur fût le vieux maître, ce n'était pas à lui qu'ils songeaient...

Ensuite, elle voulut savoir comment marchaient les répétitions ; et ce furent les réflexions habituelles au créateur pendant la période où son œuvre s'incarne en des corps étrangers, l'éloge ou la critique des interprètes, ceux-ci parfaits, remplis de zèle, ceux-là ne voulant rien comprendre, des remarques sur les directeurs, les régisseurs, les chefs de service, l'orchestre, — cet orchestre anarchique, disait Lysel, dont chaque membre a trop de talent pour se fondre dans l'ensemble.

Ce dialogue dura plusieurs minutes. Puis il y eut un silence, que Lysel rompit :

— Quelle bonne et belle lettre vous m'avez écrite, la dernière !... Comme j'ai été heureux de voir que vous avez laissé vos mauvaises idées à Interlaken !

Irène leva vers lui ses beaux yeux, qui prirent leur couleur plus foncée et s'attristèrent :

— N'y comptez pas trop ! dit-elle. Peut-être reviendront-elles de temps en temps...

Il s'assombrit aussitôt :

— Comment ! il n'y en avait plus trace, dans **votre** lettre de Lugano !

— Les vents changent, les jours ne se ressemblent pas...

Le frémissement des lèvres annonçait un flux d'émotions contenues.

— Et vous ? demanda-t-elle en le regardant bien en face ; ne pensez-vous donc jamais à ce que nous avons dit, dans le parc ?

— Ah ! souvent !... Par malheur !...

Un souffle froid, presque hostile, glissait entre eux. L'amour n'a pas de pire ennemi que cette voix de la vérité qu'il combat sans pouvoir l'étouffer. Il est le plus fort, il triomphe, il apporte l'ivresse et l'oubli. Mais voici que sonne un appel de la voix lointaine. Il ne veut pas entendre : l'appel sonne plus fort. Il le veut fuir dans son extase : la voix retentit, toujours plus proche. Et la poursuite commence ; et c'est la voix terrible qui triomphe toujours...

— Ne dites pas « par malheur », répliqua Mme Jaffé en posant sur Lysel son beau regard grave et insistant : le malheur serait de n'y pas penser... La vérité, mon ami, — je voudrais que vous en eussiez le même désir, la même soif que moi !

Lysel reconnut l'angoisse de la voix, les inflexions d'Umspunnen ; il revit dans sa mémoire, une fois encore, le couchant sur la Jungfrau.

— L'amour et la vérité se pourchassent comme le jour et la nuit, dit-il presque malgré lui, en songeant à la lutte dont leurs yeux avaient suivi les phases.

Sans le quitter du regard, Mme Jaffé affirma :

— C'est elle qui est le jour.

— Qu'importe ! s'écria-t-il. La lumière ne vaut
pas nécessairement mieux que les ténèbres. N'y
a-t-il pas des jours affreux ? N'y a-t-il pas des
nuits magnifiques ?

Il se leva, marcha nerveusement dans le salon,
irrité par ce retour offensif de l'ennemie qu'il
croyait vaincue ; puis, s'arrêtant devant l'*Eter-
nelle Chimère*, il s'écria avec colère, en serrant les
dents :

— Si j'étais peintre, je la peindrais, votre Vérité !
Non pas telle que la montrent les vieilles conventions, jeune, belle, brandissant un glorieux miroir ;
mais telle que la verront un jour les imprudents
qui s'obstinent à la chercher : une hideuse vieille,
décharnée, édentée, aux mèches grises pendant sur
des mamelles flasques, aux yeux chassieux et
vitreux, réflétant l'horreur de tout ce qu'elle a vu,
accroupie sur la margelle de son puits à guetter
les passants, comme une gouge dont nul ne veut...

— Peut-être est-elle ainsi, répondit tranquille-
ment Irène. Elle n'est pas jeune : elle existe depuis
qu'il y a des hommes pour la concevoir. Il n'est
pas sûr qu'elle soit belle. Elle n'a nulle raison
d'être satisfaite, puisqu'elle est partout méconnue,
traquée, violentée ou bafouée. Qu'importent son
âge et sa laideur ? Elle est ce qui est : la Vérité.

Il poursuivit, comme s'il n'avait pas entendu :

— ... Et pour lui faire honte, je montrerais un

couple d'amants passant en lui tournant le dos.
Ils seraient beaux comme des anges. Ils seraient
la force, la jeunesse, l'insouciance, la joie. Rien
qu'à les voir, on sentirait qu'ils ont raison contre
tout ce qui n'est pas l'amour. Ils n'auraient pas
un regard pour l'horrible vieille. Ils l'ignoreraient.
Il faudrait bien qu'elle redescendît dans son puits,
la sorcière !

Sur cette boutade, il se détourna du tableau,
changea de ton et conclut brusquement, d'une
voix passionnée :

— Ne me parlez plus ainsi, je vous en supplie,
Irène !... Tenez-vous-en à votre dernière lettre,
qui m'avait fait tant de bien !... Je vais partir,
vous savez : est-on jamais sûr de se revoir, quand
on se quitte pour si longtemps ?... Croyez-moi :
ne permettons pas à ce fantôme de nous gâter nos
derniers jours...

Le fantôme n'exauça pas son vœu. A peine
achevait-il de le conjurer ainsi, qu'Anne-Marie
ouvrit la porte. Elle était très animée. Elle com-
mença, vivement :

— Maman, figure-toi que...

Reconnaissant le visiteur, elle s'arrêta net :
sa figure changea d'expression, se ferma, se con-
tracta presque.

— Oh ! pardon, monsieur Lysel !...

— Que veux-tu, chérie ? demanda doucement
Mme Jaffé, à qui pas un de ces mouvements n'avait
échappé.

— Rien, maman, je te croyais seule.

Et la jeune fille s'éloigna, sans attendre une autre invitation à s'expliquer. Irène et Lysel échangèrent un regard douloureux.

— Vous voyez, dit Irène. On ne chasse pas le fantôme comme on veut : il a mille moyens de nous rappeler qu'il existe.

Lysel ne put cacher son trouble, leur conversation resta gênée, il s'excusa bientôt d'abréger sa visite. Souvent, quand il se levait pour partir, Irène le retenait par une prière amicale : « Encore un petit moment, mon ami !... » Ce jour-là, ce jour que leurs vœux avaient si passionnément appelé, elle ne chercha point à le garder.

Dans la rue Mozart, il rencontra M. Jaffé, qui revenait à petits pas de sa promenade hygiénique, l'œil distrait derrière les verres fumés des lunettes ; il lui sembla que le salut de cet homme impénétrable et tranquille avait comme un ton de mauvaise humeur.

— Vous saviez déjà notre retour, monsieur Lysel ?

Pourquoi « monsieur » ? Et le « déjà » prenait un accent de blâme inattendu, que souligna l'expression sévère du fin visage attentif. Lysel, troublé par ces signes, se mit à mentir avec la plus insigne maladresse.

— Je n'en étais pas sûr... Je suis venu m'informer...

M. Jaffé le regarda en face, le fit rougir.

— Mes répétitions m'absorbent beaucoup, re-prit-il précipitamment, pour tenter une diversion. C'est un travail très fatigant.

— Vraiment ?... Sans doute parce que c'est un travail nouveau... Vous savez qu'un travail dont on n'a pas l'habitude donne toujours beaucoup de fatigue...

Dès que s'offrait une occasion d'observer les jeux de l'intelligence, M. Jaffé oubliait ses propres affaires, ne pensant plus qu'au petit fait qui piquait sa curiosité. Trompé par ce mouvement d'esprit Lysel se rassura :

— Heureusement que cela marche bien, dit-il. Tout à fait bien !

M. Jaffé revint à son idée :

— Est-ce que vous éprouvez des symptômes physiques de fatigue ?... des douleurs dans le cervelet, par exemple ?... ou dans l'épine dorsale ?

— Non, non, s'écria Lysel, de plus en plus ras-suré. Je me sens seulement très énervé après les répétitions. Mais je me porte à merveille !

— Tant mieux ! Le mécanisme des artistes est si délicat ! Un rien suffit quelquefois à le détra-quer... On ne saurait trop leur recommander une bonne hygiène de travail...

Planté au milieu du trottoir sur ses pieds com-modément chaussés de larges bottines améri-caines, son parapluie sous le bras, le col enveloppé dans un foulard blanc, M. Jaffé n'éveillait pas l'idée d'un homme tourmenté par la jalousie, non

plus que par aucune autre passion. Tout en lui,
au contraire, ses traits, ses allures, la coupe de son
pardessus gris, la forme de son chapeau bien lissé,
indiquait le bourgeois paisible qui, le cœur et
l'esprit en repos, vaque à des besognes régulières,
propices à sa sérénité.

— Les savants sont plus solides, ajouta-t-il :
le travail scientifique, quand il est modéré, n'épuise
pas les nerfs... Mais avec une bonne hygiène, on
se tire toujours d'affaire... Au revoir, monsieur
Lysel !

— Oui, à bientôt !

Et M. Jaffé s'éloigna, un peu voûté, attentif
à éviter la boue qui croupissait autour d'une maison en construction, au coin de la rue de l'Yvette.

A demi rassuré, Lysel ne réussit pourtant pas
à secouer sa première impression. Elle fut même
assez persistante pour l'empêcher de revenir le
lendemain. Comme Irène l'aurait attendu, il fut
obligé de l'avertir en prétextant un dérangement
imprévu. Ainsi, deux fois en vingt-quatre heures,
il recourait à deux de ces mensonges qui sont l'hu-
miliante rançon des sentiments comme le sien.
Autrefois, il les accumulait sans beaucoup de scrupule. Les graves paroles d'Irène l'avaient-elles
donc changé ? il en éprouva de la honte, comme s'il
n'en fallait pas davantage pour ravaler leur grand
amour...

Lysel ne sacrifia qu'une seule de ses visites
quotidiennes ; chacune de celles qu'il fit ensuite

aggrava son malaise. La réserve toujours plus
glaciale de M. Jaffé, l'hostilité latente d'Anne-
Marie, la contrainte qu'on sentait dans la maison,
jusqu'aux maladresses d'une nouvelle femme de
chambre qui lui demandait chaque fois sa carte
pour l'annoncer, tout lui montrait que l'atmosphère
n'était plus la même. Il ignora pourtant l'éclat
décisif qui se produisit dans ce même petit salon où
Irène recevait d'habitude. Elle y passait beaucoup
d'heures à poursuivre ses pensées, en brodant un
coussin qui n'avançait guère. Quelquefois, pendant
qu'elle assortissait les soies ou comptait les points,
son mari venait, s'asseyait à côté d'elle, causait un
instant, puis, reposé, allait reprendre le travail
interrompu. Un jour qu'il entrait ainsi, pendant
une de ces rêveries où l'ouvrage abandonné restait
posé sur les genoux, Irène lui trouva l'air inquiet,
les traits tirés, comme souvent quand une diffi-
culté arrêtait sa pensée.

— Cela ne va pas, aujourd'hui ? demanda-
t-elle en tâchant de sourire.

Sans répondre, M. Jaffé fit deux ou trois fois le
tour de la pièce, remit en place l'un des vases
anglais de la cheminée, trop rapproché du groupe
de Rodin pour la symétrie, vint s'asseoir sur la
causeuse que Lysel occupait d'habitude. Il parut
s'absorber dans un examen attentif des soies de
toutes couleurs qui débordaient de la corbeille
posée sur un guéridon, les toucha, en joua un
instant, puis, prenant sa décision, demanda :

— Que penseriez-vous, ma chère amie, de passer l'hiver en Italie ?

Irène n'eut aucune surprise, son mari l'ayant accoutumée à ces projets soudains. Elle les acceptait presque toujours, si même ils la dérangeaient, sachant d'ailleurs qu'ils n'aboutissaient pas une fois sur quatre. M. Jaffé s'empressa de donner ses raisons :

— Il y a longtemps que je désire visiter certaines villes secondaires du versant oriental, que je ne connais pas : Urbino, Rimini, Ravenne. Je voudrais aussi montrer les principaux musées à Anne-Marie. Cette enfant grandit, le moment approche où il faudra penser à son établissement ; nous ne pourrons alors plus guère nous absenter pendant la saison ; et jusqu'à présent, elle a vu si peu de choses ! Il me semble que cet hiver conviendrait assez bien ?

Irène acquiesça aussitôt. Elle rapportait à Lysel tous les événements de sa vie : elle se dit que jamais un voyage ne les dérangerait moins, que même, étant un peu jaloux de toutes ses amitiés, il serait plutôt satisfait de la savoir en pays étranger pendant qu'il était lui-même absent. Mais à peine cet assentiment obtenu, M. Jaffé reprit, de sa voix grêle qui devint plus pressante :

— Si nous partions tout de suite, puisque nous sommes d'accord ?

Il ôta ses lunettes, pour en frotter les verres avec son mouchoir. Irène se troubla : quinze jours en-

core la séparaient de la « première » de *Conrad
Wallenrod*.

— Tout de suite ?... Que voulez-vous dire ?...

— Le plus tôt possible : dans une huitaine.

Elle s'émut davantage :

— Nous rentrons à peine. Je croyais que les
épreuves de votre volume...

Il l'interrompit, plus sèchement :

— Ne vous inquiétez pas de mon volume ! Il
est achevé : j'ai donné le dernier « bon à tirer ».
Je suis tout à fait libre. Rien ne vous retient non
plus, n'est-ce pas ?

Sur cette question, sa voix prit un accent caté-
gorique, comme pour indiquer qu'il n'attendait
aucune objection.

— Nous n'avons pas encore pensé à nos toilettes
d'hiver, Anne-Marie et moi, dit Irène.

Elle se sentit rougir : c'était vrai, mais ce n'était
pas la vérité ; c'était plutôt un de ces faux-fuyants
comme Lysel venait d'en employer, comme il y en
avait tant dans leur vie, qui lui donnaient un frisson de dégoût. Humiliée d'avoir cédé à cet instinct
de mensonge, au lieu de dire sans détour ses véri-
tables raisons, elle s'empressa d'ajouter :

· — D'ailleurs, je ne voudrais pas quitter Paris
avant la « première » de *Conrad Wallenrod*.

— Voilà ! fit M. Jaffé.

Ses traits paisibles se contractèrent légèrement.
Il remit ses lunettes, se pencha en avant, les
mains entre ses genoux, et comme il tenait

toujours son mouchoir, l'étira, le pressa, en fit
une boule.

— Vous tenez beaucoup à *cela ?* reprit-il.

Irène avait souvent, jadis, souhaité une explication, en se promettant de ne pas s'y dérober.
Mais depuis tant d'années elle en croyait l'éventualité à jamais écartée ! A la voir surgir si sou-
daine, elle se déconcerta :

— Mon Dieu !... commença-t-elle.

De nouveaux faux-fuyants, des prétextes, des
demi-vérités lui venaient encore à l'esprit. Elle
les repoussa, et dit résolument :

— Vous devez bien le penser !

Les paupières de M. Jaffé battirent sous les
verres fumés. Sans lui laisser le temps de répli-
quer, elle ajouta, fonçant sur l'obstacle :

— Je vous dirai même que je ne voudrais pas
quitter Paris avant le départ de Lysel. Il s'embar-
que le 6 novembre. Après, comme il vous plaira !

M. Jaffé se leva, se remit à marcher dans le
salon, en continuant à chiffonner son mouchoir.
Irène, les yeux baissés sur son ouvrage, tirait son
aiguille, qui tremblait dans ses doigts. Leur silence
se prolongea. Puis M. Jaffé revint s'asseoir sur la
causeuse ; il reprit avec beaucoup de calme :

— J'aurais au contraire souhaité de vous emmener avant cette « première », et avant ce départ,
ma chère amie !

Elle plia soigneusement sa tapisserie, la mit dans
la corbeille dont elle abaissa le couvercle, et, se

tournant vers son mari, demanda, en le regardant
dans les yeux :

— Pourquoi ?

Il y avait entre ces deux êtres, pour les unir,
le plus puissant de tous les liens, et, pour les
séparer, le plus puissant de tous les obstacles.
Pendant de longues années, ils avaient pu vivre
côte à côte, grâce à un compromis tacite où se
balançaient leurs sacrifices réciproques, dans une
paix dont chacun devinait les conditions muettes,
et les acceptait. Tout à coup, sans autre raison
que celle qui veut que déborde à la fin le vase où
l'eau tombe goutte à goutte, ou qu'éclate une fois
le ruban qu'use un frottement régulier, voici
qu'ils se trouvaient en face l'un de l'autre, comme
des adversaires, dans la menaçante vérité de leurs
sentiments. M. Jaffé avait préparé son plan, choisi
son heure, compté peut-être que tout se passerait
une fois encore en demi-mots, qu'il remporterait
sans bruit la suprême victoire ; et, dès la première
résistance, il se sentait poussé hors de sa ligne par
une sorte de passion qu'il réprimait mal, oubliant
que sa patience avait contribué à créer l'étrange
situation qu'il prétendait transformer à son gré.
Aussi vite excitée, prête à méconnaître la longue,
généreuse, paternelle indulgence qui l'avait préser-
vée de la chute et du scandale, Irène se raidissait
contre cette attaque comme contre une trahison,
tendant sa volonté pour y faire face.

— Je croyais que vous comprendriez, dit M.

Jaffé en évitant de la regarder. Oui, je croyais...
Certains signes me l'ont fait supposer... J'ai
toujours tâché de lire en vous, ma chère amie...
Je vous croyais arrivée à peu près au même point
que moi, — oh ! par d'autres chemins !

Il leva sur elle ses yeux incertains de myope,
dont les expériences de la vie pas plus que les
recherches de la science n'avaient altéré la
candeur.

— Me serais-je trompé ?... Il est possible : on
peut toujours se tromper, quand on juge sur des
indices, non sur des faits..., et quand ces indices
mêmes, on n'est pas en état de les observer avec
un entier désintéressement... Ce qui est mon cas,
je l'avoue... Pourtant il me semble qu'à présent,
à l'âge où nous sommes, — je suis sûr que vous
ne m'en voulez pas de vous parler de votre âge !
— vous pourriez vous apercevoir que certaines
situations...

Il s'interrompit deux secondes, et acheva brusquement :

— ... ne peuvent pourtant pas durer toute la
vie !...

Ces paroles moulaient une à une les pensées
d'Irène, cette attaque était celle-là même qu'elle
repoussait chaque jour au fond de sa conscience.
Mais, souvent persuadée par la voix intérieure,
elle n'était pas prête à se rendre aux mêmes
arguments sortant d'une bouche étrangère, de
celle-là surtout. Son amour menacé retrouva ses

anciennes forces. Elle soutint le regard de son mari, et répondit en martelant ses mots :

— Quant à moi, j'estime au contraire qu'il y a des situations, — comme vous dites, — que leur durée même impose et légitime.

— Ce n'est pas mon avis, riposta M. Jaffé.

Il chercha quelques secondes, et pour s'expliquer posément, en homme sûr de soi, qui prend son temps, recourut à l'une de ces comparaisons empruntées à la nature, dont la critique lui reprochait d'abuser dans ses écrits :

— Les aspects de l'existence se transforment avec les années, comme les paysages qu'un fleuve reflète dans son cours en descendant de sa source dans les montagnes à son embouchure dans la mer ; et les eaux du fleuve n'ont ni la même couleur, ni la même impétuosité quand il se fraye sa route à travers des gorges étroites ou quand il arrive aux marécages de son estuaire. Il en est ainsi pour les mouvements de l'âme : on comprend leur violence, on l'excuse, on la supporte dans les ardeurs de la jeunesse. Lorsque la jeunesse est passée, au contraire, ils offusquent la raison, qui se refuse à les admettre.

C'était exactement encore ce que pensait Irène. Elle s'en défendit pourtant :

— Vous croyez ?... Étrange !... Il me semble parfois que rien ne marche, que rien ne change, que toute la beauté du cœur est dans son immobilité.

— L'immobilité n'existe pas plus dans le monde moral que dans le monde physique, dit M. Jaffé de son ton le plus didactique. Tout remue et change sans cesse. Les vieux sages le disaient déjà.

Et il se mit à développer les propres arguments qu'Irène invoquait contre Lysel et contre elle-même, en termes tout proches de ceux qu'elle employait, peu de semaines auparavant, sous les hêtres d'Interlaken :

— Vous connaissez la belle image d'Homère, les feuillages morts qui tombent pour faire place aux jeunes bourgeons. Elle est aussi vraie pour les hommes que pour les arbres : nous avons notre temps, puis nous passons. Derrière notre jeunesse enfuie, germent d'autres jeunesses, dont la poussée nous chasse. Notre existence ne sert qu'à préparer l'avenir aux êtres issus de nous, qui nous succéderont. Quand cet avenir est conditionné par nos actes, du moins en partie, l'idée que nous en avons limite notre liberté. Vous avez l'esprit trop juste pour méconnaître une telle vérité. La destinée de nos enfants ne doit pas être alourdie par ce qu'il y a eu dans la nôtre...

Il hésita sur le mot, en cherchant un qui n'eût rien d'offensant, et acheva :

— ... d'incertain.

Ces choses semblaient si profondément vraies à Irène, quand elle les pensait elle-même, dans ses heures d'angoisse ! Et voici qu'en les entendant répéter sur ce ton démonstratif, par cet homme

pacifique qui aurait pu les crier avec colère, elle
les trouvait tissées d'artifice et de lâcheté. De tels
arguments ne sortaient-ils pas de ce fonds de mensonges sociaux que M. Jaffé dénonçait autrefois,
qu'ils s'étaient promis de poursuivre et de chasser ?
N'étaient-ils pas de ceux que nous imposent les
conventions séculaires, pour appauvrir notre
âme, fléchir nos courages ? Son amour restait plus
fort qu'eux, sa fierté les bravait :

— Il n'y a rien eu d'incertain dans ma vie, répliqua-t-elle. La preuve, c'est que vous pouvez
aborder cet entretien sans explication préalable,
tant vous connaissez le passé, et que je n'ai pas
dit un mot pour vous égarer ou me défendre...
Je ne vois donc pas ce qui menace Anne-Marie,
si c'est bien d'elle que vous parlez.

Le visage de M. Jaffé devint plus sévère :

— Elle serait à plaindre si je ne vous parlais
comme je le fais, dit-il avec autorité ; car, si vous
n'avez aucun secret pour moi, oseriez-vous dire
que vous n'en avez point pour elle ?... Vous
sentez donc que j'ai raison.

Irène fit de la tête un signe négatif.

— Votre conscience vous l'a dit souvent,
affirma-t-il.

Elle répéta son geste, et dit :

— Non, non, pas ainsi !

— Est-ce que vous ne *voudriez* pas comprendre ? fit-il en soulignant le mot.

Il la regarda de cet air d'immense étonnement

que prenait son visage candide quand il entendait
contester l'évidence, et, tout en revenant à sa
première métaphore, il aborda une autre face de
la question :

— Écoutez-moi, ma chère amie ! Le fleuve s'é-
claircit et devient plus limpide à mesure qu'en
avançant dans des paysages plus larges, plus tranquilles, il dépose ses sables et son limon. De
même, la conscience devient plus pure, plus exigeante, plus ferme, à mesure qu'elle s'enrichit
de plus d'expérience. Sans doute, parce qu'en
embrassant la complexité des phénomènes sociaux, nous comprenons mieux l'importance de
nos actes, celle même de nos sentiments, puisque
les conséquences en sont infinies. C'est ainsi que
certaines idées, que nous prenions pour des préjugés surannés, s'imposent peu à peu à notre
esprit. C'est ainsi que nous découvrons la raison
d'être d'institutions que notre jeunesse taxait
d'arbitraires, attaquait et sapait avec tant d'ignorance...

Il toussa, presque à la manière d'un conférencier,
et conclut :

— Tel est du moins le chemin que j'ai parcouru
pour mon compte.

Le long travail intérieur dont cet aveu marquait
l'aboutissement, s'était accompli sous les yeux
d'Irène, à côté d'elle, au courant de la vie commune, à travers la paisible régularité des jours,
sans qu'aucun signe le lui révélât jamais ! Sur-

prise, pressentant à peine encore le rapport de
cette métamorphose avec son amour, elle ne put
que murmurer :

— Comme vous avez changé !

— Vous le verrez mieux encore quand vous lirez
mon nouvel ouvrage... Il ne vous a guère intéressée,
jusqu'ici. Pourtant, il vous doit beaucoup ! J'ai
plus appris à vous regarder vivre, Irène, qu'à
remuer l'histoire et les livres. Ceux-ci ne nous en-
seignent que des faits : notre vie en dégage les
leçons. Jamais peut-être, si la nôtre eût été différente, je n'aurais senti avec autant de force l'ab-
solue nécessité qu'il y a pour tous à marcher sans
restriction ni réserve dans la voie de la vérité.

Il dit tout cela d'une voix pénétrée, en redressant sa taille, avec un geste affirmatif. Ce mot
de « vérité » prit dans sa bouche un accent solennel.
Irène crut reconnaître jusqu'à son propre ton
quand elle le prononçait devant Lysel qui, comme
elle, à cette heure, se débattait en vain pour en
repousser l'emprise. Machinalement, d'une voix
où il y avait du regret et du désespoir, elle répéta :

— La vérité...

M. Jaffé la tint un instant sous son regard,
sûr qu'à travers des révoltes, elle accédait lentement. Puis il poursuivit, — tel un avocat, dont la
cause est gagnée, continue néanmoins à produire
ses pièces, à développer ses arguments. — Remontant le cours des années, il reprit leur histoire, fit
le procès de leur passé, en déplora les équivoques,

s'accusa de n'avoir pas défendu, dès l'origine, des droits qui lui appartenaient.

— J'ai cru que votre jeunesse aussi avait les siens, dit-il gravement : je les ai respectés.

Selon ses habitudes d'esprit, il passa rapidement de cet aveu personnel à une vue plus large sur les causes de sa passive indulgence :

— Nous avions l'esprit trop libre pour que je pusse en user autrement : j'ai cru aux idées que j'avais toujours soutenues, qui nous avaient unis. La preuve en est faite ! Je sais maintenant ce qu'on peut attendre de ces audaces qui revisent la sagesse des générations ! Je sais le pourquoi des grandes lois sévères qui froissaient notre sens inaverti de la justice et de la liberté !...

Ils se regardèrent en silence, lisant l'un dans l'autre. Tous deux avaient la même idée : ce papier, signé pour garantir leur indépendance, pour les préserver du mensonge, de la contrainte, de l'hypocrisie, et qui avait dormi dans son tiroir pendant que la vie les emportait, comme une vaine feuille sèche qu'ignore le torrent. Mais ni l'un ni l'autre n'en parla.

— Que voulez-vous que je vous réponde ? fit enfin Irène. Vous revenez sur des choses si anciennes !... Vous mesurez ma vie, — notre vie, — à une mesure que je ne connais pas : ce n'est pas celle que nous avions adoptée au départ !... Ne discutons pas ce qui est ou ce qui fut : à quoi bon !... Dites-moi plutôt où vous voulez aboutir.

M. Jaffé se recueillit quelques secondes :

— Vous allez comprendre pourquoi j'ai provoqué cet entretien, dit-il.

Elle crut qu'il allait recommencer des explications inutiles, et insista :

— Dites-moi seulement ce que vous me demandez !...

— Voici, reprit-il. J'ai pensé que l'heure est propice, au moment où notre ami...

Sa voix trembla légèrement sur ce mot, qu'il répéta :

— ... où notre ami va partir pour ce long voyage... Peut-être cette idée m'a-t-elle été suggérée par cet autre voyage, qu'il fit au début de nos relations, et dont je crois avoir deviné les raisons... Je me suis dit que l'éloignement forcé, la durée de la séparation, l'espace ouvert entre lui et vous, nous aideraient tous à rétablir l'équilibre de notre existence... Oh ! je ne vous demande pas de rompre brutalement avec un attachement... que j'ai compris !... Je vous prie seulement d'en réduire dès maintenant les exigences... Notre absence, en ce moment, ferait tout de suite comprendre à M. Lysel que votre affection s'est ressaisie, et prendra désormais un caractère plus atténué : celui qui convient à nos sentiments quand nos cheveux commencent à blanchir...

C'étaient encore, c'étaient presque les paroles mêmes qu'elle adressait à Lysel, en lui découvrant la plaie vive de son cœur. Ce rapprochement, en s'imposant une fois de plus à son esprit, le pénétrait de leur vérité ; il lui rappelait aussi les chers liens qui l'attachaient à sa tendresse. Toute sa vie d'amour traversa sa mémoire : un frisson de mort la secoua à la terreur d'y renoncer. Ses magnifiques yeux meurtris d'où quelques larmes s'échappèrent, sa belle bouche frémissante, révélaient son tumulte intérieur. Elle passa la main sur son front en murmurant, presque malgré elle :

— Oui, oui... peut-être... J'ai eu quelquefois ces idées-là.

— Je le sais, dit M. Jaffé.

Fut-ce l'aveu de cette ingression dans les parties les plus secrètes de son âme, ou un flux de passion qui l'emporta ? Elle se ressaisit, elle se révolta :

— Vous m'en demandez trop maintenant ! s'écria-t-elle en trouvant aussitôt mille raisons pour le repousser... Songez ! Lysel est surmené : la fatigue des répétitions l'épuise... Son plus cher ami relève à peine d'une terrible maladie : il a passé par les plus affreuses angoisses à son sujet, il va encore le voir chaque jour... Et puis ce départ, ce départ !... Il a besoin de ses forces, de son courage... Je ne veux pas lui faire de mal !... Vous ne pouvez pas exiger cela !... Si vraiment il faut le frapper, laissez-moi choisir l'heure !... Vous qui comprenez tant de choses, savez-vous ce que c'est que de briser un tel lien ?...

Elle ne contenait plus ses larmes, elle ne voulait pas les montrer, elle s'enfuit, avec un dernier re-

gard où il y avait des reproches et du désespoir.
M. Jaffé demeura longtemps dans la même posture,
les mains ballantes entre les genoux, sur la causeuse où il avait tant de fois, en entrant au salon,
trouvé Lysel. Comme toujours en lui, la réflexion
se mêlait à l'émotion. Suivant la pente habituelle,
son esprit généralisait leur cas, en tirait la leçon :
ses anciens livres, qui battaient si durement en
brèche la digue construite par la sagesse des siècles
contre les tempêtes du cœur, ne lui semblaient
plus qu'un tissu de sophismes, dont sa logique
brisait les mailles avec la même vigueur qu'elle
avait mise à les ourdir...

III

CONRAD WALLENROD[1]

BEAUCOUP de méfiance se mêlait à la curiosité
excitée par l'annonce de *Conrad Wallenrod*. Si
admiré qu'il fût comme virtuose, si célèbres que
fussent certaines de ses compositions, Frantz
Lysel n'avait pas encore abordé l'opéra. Or, les
distributeurs officiels de la renommée tiennent
aux étiquettes une fois collées, qui facilitent leurs
fonctions quasiment automatiques, et les déten-
teurs patentés des spécialités d'art, surtout quand
ils exploitent la gloire lucrative du théâtre, ont
tout intérêt à passer pour seuls possesseurs de
recettes, — plus mystérieuses que les règles
d'Aristote, d'Horace, de Boileau, ou de d'Aubi-
gnac, — sans lesquelles, affirment-ils, nul intrus
ne saurait soutenir leur concurrence. Par la collaboration de ceux-ci et de ceux-là, il se formait
donc autour de l'œuvre nouvelle une atmosphère

---

[1] *Chefs-d'œuvre poétiques d'Adam Mickiewicz*, traduits par lui-
même et ses fils. (Bibliothèque Charpentier.) — *Les grands poètes
romantiques de la Pologne*, par G. Sarrazin. (Perrin, 1906.)
— L'opéra de Zelenski sur *Wallenrod*, auquel j'ai fait allusion
sans le connaître, m'a été signalé par M. A. de Radwan.

un peu chargée. Lysel ne s'en doutait guère : son inexpérience croyant encore que l'œuvre seule importe, il était plus inquiet des faiblesses de la sienne que des circonstances ou des intrigues qui en accompagnaient l'éclosion. Wladimir Pack, un jeune poète, Polonais comme lui et aussi ignorant des secrets du métier, avait découpé dans la légende obscure de Mickiewicz, — qu'on relise le beau commentaire qu'en a donné Gabriel Sarrazin ! — un livret sans action ni mouvement. Des excentricités juvéniles y compensaient fâcheusement d'heureuses trouvailles lyriques, en soulignant le romantisme démodé d'une trame où la trahison et l'héroïsme forment le plus byronien des amalgames. Quant à la partition de Lysel, elle était, — pensait-il, — l'expression des deux grands sentiments de sa vie : le rêve patriotique, pareil à celui du héros lithuanien, qui avait hanté sa jeunesse aux récits des exploits paternels, et l'amour inachevé, douloureux, contenu, dont celui de Conrad et d'Aldona la recluse lui semblait une sorte de symbole. Comme tous les musiciens, il prêtait à sa musique un sens plus précis que cet art n'en peut avoir : l'admiration du jeune Pack, qui brodait sur elle des gloses subtiles ou l'illustrait d'images enténébrées, le soutenait dans cette illusion. Ce Pack était d'ailleurs un garçon indolent, flegmatique, fataliste, un véritable Slave qui s'en remettait, sur toutes choses, à la destinée. Aux répétitions, il demeurait plongé dans une béatitude

muette. Ses yeux bleus, inaltérables, contemplaient
avec une candeur ravie les étoiles du chant et de
la danse, parmi lesquelles il évoluait comme un
astre voyageur tombé on ne sait d'où dans l'or-
donnance du firmament. Avec sa jolie figure
arrondie, blonde, vite effarée, et la mélancolie de
ses longues moustaches rousses dont les pointes
tombantes encerclaient sa bouche, il assistait sans
sourciller au travail fiévreux de tout le personnel,
en répétant toujours :

— C'est très bien ainsi, c'est parfait, c'est
admirable !

Ce qui faisait dire à Lysel :

— Quand les Slaves se mêlent d'être optimistes,
ils ne le sont pas à moitié !

Une « première », sur une grande scène, est en
soi-même une pièce, — presque toujours une
comédie, — dont le pittoresque compliqué a
maintes fois tenté les peintres des mœurs parisiennes. Elle met en mouvement la plupart des
élégances, des vanités, des compétitions de la
ville du monde où il y en a peut-être le plus ;
elle flatte, excite, irrite ou dérange nombre d'ambi-
tions chatouilleuses, dont les moindres piqûres
font du bruit ; elle bouscule beaucoup d'intérêts
importants ou mesquins ; elle brouille des jeux
savants, tenus par des mains expertes. Dans les
coulisses, dans les couloirs, au foyer des artistes
comme à celui des spectateurs, surgissent mille
questions minuscules qui grossissent dans l'air

électrisé, s'irisant des couleurs les plus inatten-
dues. Qui reconnaît-on dans les loges ? est-ce la
salle des grands jours, dûment remplie par l'élite
de cette société composite, — politiciens, affai-
ristes, parvenus, courriéristes, gens du monde,
diplomates, rastaquouères, — qui forme ce qu'on
appelle le « Tout-Paris » ? Voit-on dans l'assistance
ces femmes qui mènent le train, dont la présence
promet des recettes, parce que beaucoup voudront
se montrer où on les a vues ? Qu'est-ce que les
arbitres de l'engouement vont penser, — ou dire, —
de l'œuvre nouvelle ? Sa gaîté ou son émotion
réussiront-elles à les dérider ? Rude tâche, quand
on songe à ce qu'est leur vie ! Quelles sentences
lit-on sur les visages blasés des critiques ? Et les
confrères, — ceux qui attendent leur tour, ceux qui
ne l'ont jamais eu, ceux qui ne l'auront jamais,
ceux qui l'espèrent encore, ceux qui ne l'espèrent
plus, — quelles rancunes ou quelles indulgences
colportent-ils pendant les entr'actes ? — Ainsi,
tant que dure la soirée, la vaste salle clinquante,
avec ses velours, ses vernis, ses dorures, ses peintures, est pour ceux qui s'y coudoient le centre
essentiel du monde ; aucun des problèmes ou des
conflits qui s'agitent au dehors, d'où peuvent
sortir la guerre, les ruines ou la révolution, ne revêt
une importance égale à celle de ces questions : le
ténor sera-t-il en voix ? l'orchestre suivra-t-il le
bâton qui le dirige ? le public va-t-il se plaire ou
s'ennuyer ?

Tandis que la salle applaudit ou bâille, sommeille ou s'émeut, il s'y joue des drames parfois plus serrés, plus profonds, plus intenses que celui où s'est consumé l'art du poète, du musicien, du décorateur, du metteur en scène et des interprètes ; et si la foule reste suspendue au spectacle où l'attache la puissance de la fiction, certaines de ses unités s'en écartent pour écouter des voix intérieures, dont la musique n'est plus alors que l'accompagnement vague et léger. Ainsi, le soir de *Conrad Wallenrod*, un acte discret du drame où l'auteur était engagé, se développait autour de la pièce.

Avant le lever du rideau, dans les couloirs, on eût entendu les propos habituels s'échanger entre des messieurs en habit et des dames en décolleté :

— On dit que la répétition n'a pas marché ?

— Qu'en sait-on ? Elle n'était pas publique.

— Lysel risque une grosse partie...

— Il la gagnera : il a de la chance.

— S'il la perdait, pourtant ?

— Il aurait toujours son violon...

En vérité, Lysel courait un autre danger, plus direct, dont la conscience l'empêcha d'abord de penser au sort de son œuvre : ni M. Jaffé ni Anne-Marie n'accompagnaient Irène. Dès qu'il remarqua leur absence, il comprit qu'elle avait une signification ; et ce fut son grand souci.

Irène, seule avec sa mère, occupait une baignoire à droite de la scène, à côté de celle de

Hugo Meyer. Mal rétabli, la langue alourdie, l'intelligence atteinte, le vieux maître avait voulu venir quand même : sa tête embroussaillée se tendait vers le public dans un mouvement d'ardeur juvénile, comme si l'approche du combat lui rendait sa vigueur ancienne ; tandis que Louise, en retrait derrière lui, son bon gros visage écrasé par un chapeau trop empanaché, guettait anxieusement la trace des émotions sur cette figure si changée. Séparée d'eux par une cloison, Mme Jaffé portait une robe en satin gris clair, à peine ouverte, sans bijoux, garnie de dentelles en point d'Angleterre, qui en amortissaient l'éclat. La nuance s'en accordait avec celle de ses cheveux, qu'elle avait égalisée en les poudrant, et mieux encore, peut-être, avec l'expression de son doux visage tendre et pensif. La sévère élégance de cette toilette contrastait avec les cheveux teints, la robe couleur champagne, le décolletage et les diamants de Mme Storm. Un curieux, dont les regards seraient tombés sur cette baignoire, se fût demandé sans doute quel singulier hasard y réunissait en tête à tête deux êtres aussi désassortis.

Mme Storm, armée de son face-à-main à manche en écaille, parfaitement inattentive, lorgnait la salle et, de temps en temps, se penchait vers sa fille pour lui nommer des personnes qu'elle reconnaissait :

— Voici l'ambassadeur d'Autriche !

Ou bien :

— Tiens, le prince X... ! Il est donc à Paris !
Comme il a vieilli ! La dernière fois que nous nous
sommes rencontrés...

Et elle égrenait le chapelet de ses souvenirs.

Irène l'écoutait mal. Cachée derrière un écran,
elle éprouvait cette forte émotion qui vous étreint
dans une foule dont les mouvements vont déter-
miner votre destinée. De tout son amour, de toute
sa foi, elle croyait à l'œuvre dont elle avait suivi
la lente éclosion : voici que le doute et la peur
l'assaillaient. En même temps, d'autres pensées
l'emportaient loin de cette musique dont elle connaissait tous les accords. Wallenrod, Aldona,
Halban, le Waydelote ? Elle songeait à Lysel, à sa
fille, à son mari, à elle-même. Après tant d'années
de rêve, la réalité reprenait ses droits. Pourquoi
maintenant, autour de l'œuvre qui marquerait
un si redoutable tournant dans leur vie ? Pendant
la période où les événements mêmes se moulaient
à la forme de son cœur, tant d'éléments hostiles
s'étaient comme fondus à sa flamme intérieure :
pourquoi leur conflit se rouvrait-il ? Pourquoi
fallait-il choisir entre les forces qui luttaient dans
son âme ? Et pourquoi ce choix n'était-il plus
libre ? Jadis, il se fût porté sur l'amour : la jeunesse ne doute guère de ses droits, doute peu de
ses moyens. Mais éloignés, par le vol des années,
de l'âge du roman, ils entraient dans celui où la
raison discute, écoute dans l'avenir la répercus-
sion des actes ordonnés par la passion, — blâme

et condamne : que restait-il donc de leur liberté ? N'ayant pas fait à l'heure opportune le geste de la révolte, ils subissaient celui de la résignation. La patience des choses prenait ainsi sa revanche. Qui sait si Jaffé, plus clairvoyant qu'eux, ne l'avait pas lentement calculée ? Qui sait s'il n'avait pas accepté son rôle sacrifié dans la certitude de sa victoire finale, — pareil à ces spéculateurs qu'un coup de fortune récompense à la fin de persévérants sacrifices ?...

Un bruit d'applaudissements la tira de ses réflexions : ils saluaient le beau chœur de la Wilna et du Niémen.

— Charmant ! approuva Mme Storm, en frappant négligemment de son éventail la paume de sa main gauche.

Une interminable scène de discussions dans le Conseil de l'Ordre teutonique abattit le naissant enthousiasme : la petite toux nerveuse de l'ennui courut de rang en rang dans le parterre, monta aux balcons, résonna dans les loges, sèche, répétée, irrévérente, moqueuse. C'est à ce moment que Lysel, retenu jusqu'alors dans les coulisses, entra dans la baignoire. Irène lui donna la main, en souriant. Il la garda un peu. Malgré la présence de Mme Storm, ce fut un instant très doux, très tendre, un de ceux dont l'impression se grave à jamais dans la mémoire afin de la tourmenter plus tard, aux heures où l'on recueille ses souvenirs pour irriter sa douleur...

Un peu inquiet, il demanda :

— Eh bien ?...

Ce fut Mme Storm qui répondit :

— On a beaucoup applaudi, tout à l'heure... Ce chœur était bien joli, Lysel !... Tout à fait charmant !...

Irène corrigea :

— Il y a dans ce premier acte des phrases que j'aime tant !

Lysel regardait d'un air soucieux les fauteuils vides de la baignoire.

— M. Jaffé ne viendra-t-il pas ? demanda-t-il à Irène, en baissant la voix.

— Il m'a dit qu'il viendrait un moment.

— Et Anne-Marie ?

— Elle a la migraine.

Lysel s'assombrit davantage, puis n'osant rien demander de plus, se rapprocha de Mme Storm.

— L'orchestre a mieux joué à la répétition, fit-il.

— Comment donc ! il joue à ravir, répondit la vieille dame, de sa voix indifférente et complimenteuse.

Des applaudissements de complaisance saluèrent la chute du rideau : le public faisait crédit du premier acte. Lysel dut retourner à son poste de combat. Mme Storm se remit à nommer des diplomates et des étrangers, en racontant des bribes de leurs histoires. Beaucoup moins répandue que sa mère, Irène n'avait pas d'attaches avec ce public bigarré. Seuls, ou presque, dans la salle, les Hugo Meyer la connaissaient, savaient sa présence ; mais, retenus par des visiteurs qui félicitaient le vieux maître de son rétablissement, ils ne se montrèrent pas. Le convalescent recevait les compliments en souriant de la seule moitié mobile de sa bouche ; tandis qu'on s'extasiait de le trouver si bien, il répondait en accentuant sa grimace, avec ce gros accent alsacien dont cinquante ans de Paris ne l'avaient pas guéri :

— Oui, oui, c'est un bail à volonté, maintenant ; le propriétaire me donnera congé quand il lui plaira, sans autre avertissement préalable. Il n'a qu'à faire un signe...

Cette phrase, et le geste qui l'accompagnait, amenaient des larmes aux yeux de Louise ; posant la main sur le bras de son « poulot », comme pour le défendre, elle protestait :

— Qu'est-ce que tu dis là, Hugo ?... Qu'est-ce que tu peux dire ?...

Il étendait le doigt vers le rideau baissé, en prenant un accent plus grave :

— On sait bien qu'il faut partir une fois... Allez ! on s'en va gaîment, quand on laisse après soi des vaillants, pour continuer...

Et il louait l'œuvre de Lysel :

— Une de celles qu'il faut admirer, si l'on n'est pas en bois !

Les visiteurs, l'ayant écouté avec respect, répondaient sans entrain :

— Oui, oui, c'est très bien, c'est très fort !

Ensuite, dans les couloirs, ils disaient :

— Le vieux Meyer a du plomb dans l'aile : voilà qu'il tourne au bénisseur !

Cependant Irène, dont les yeux erraient dans la salle, venait de distinguer, dans une loge de face, deux figures de connaissance, qu'à son tour elle nomma à sa mère :

— Les Teissier, maman !...

— Oui, je les vois... Mme Teissier ne rajeunit pas...

Leur chronique avait jadis défrayé pendant quelques semaines les potins de Paris [1]. Épris d'une jeune fille dont il était le tuteur, Michel Teissier, alors député et l'un des leaders de la droite, avait divorcé pour épouser celle qu'il aimait ; puis, poussé à mettre ses idées d'accord avec ses actes, il était devenu l'un des plus hardis champions de la décomposition sociale : d'abord à la Chambre, où il représenta pendant deux législatures ses anciens adversaires, puis, après un échec électoral, dans les journaux. A cette heure, il braquait sa jumelle sur une loge de face, qu'occupait un ministre mélomane ; sa femme, accoudée au balcon, le menton dans la main, regardait devant elle, sans rien voir. Irène savait qu'ils n'avaient pas d'enfant, qu'une des filles de Michel était morte, que l'autre, mariée en province, ne

[1] Voyez *la Vie privée* et *la Seconde vie de Michel Teissier.*

voyait plus son père ; elle ne connaissait d'ailleurs
Mᵐᵉ Teissier que pour avoir échangé avec elle
quelques rares visites. « Sont-ils heureux ? l'ont-ils
été ? » se demanda-t-elle. Et elle s'étonna de ne
s'être jamais posé cette question. Elle essaya d'y
répondre : leur geste de révolte avait causé bien
des désastres... « Du moins, se dit-elle encore, ils
ont eu le courage de leur amour : il ne finira
pas comme le nôtre ! » Elle poursuivit un instant
cette comparaison dans le champ des hypothèses,
tout en répondant par quelques monosyllabes
au bavardage de Mᵐᵉ Storm. Ramenée ainsi à sa
préoccupation dominante, elle se plongea si complètement dans ses pensées, qu'elle s'aperçut à
peine que le rideau se relevait :

« Oui, songeait-elle, le moment est propice pour
annoncer à mon Frantz que notre amour est fini.
Son triomphe, qui va éclater, que je vais aider de
mes bravos, le consolera. Ensuite, le voyage
achèvera de me faire oublier. Avec toute sa tendresse, il a peut-être l'âme plus mobile qu'il ne le
croit lui-même : il est artiste, il est Slave... D'ailleurs, les hommes ont tant de choses pour les
distraire de l'amour : le travail, le succès, la gloire...
Teissier n'a-t-il jamais regretté d'avoir préféré
l'amour ?... Frantz, lui, touche à l'âge où, dans la
plupart des destinées, l'amour, si même on lui
a beaucoup sacrifié, passe à l'arrière-plan. C'est
l'ambition qui prend le pas, ou le désir du foyer
tranquille, des enfants qui sont une part de durée

de la vieillesse entourée de chaudes affections. Je
ne lui donne rien de tout cela : qu'est-ce donc qui
l'a retenu si longtemps près de moi ?... Oui, oui,
le moment est propice !... J'avais rêvé de remplir
toute sa vie : je n'en aurai rempli qu'un chapitre.
De combien d'amours n'est-ce pas l'histoire ?
Demain, il tournera la page avec un cri de colère
ou un soupir de regret ; puis il entamera le chapitre
suivant... Un chapitre d'action, celui-là, qui ne
lui laissera pas le temps de rêver, par bonheur !...
Là-bas, en achevant de m'oublier, il se dira que
j'ai eu raison, et son pas sera plus léger... Que puis-
je attendre de mieux pour moi-même ? C'est une
fin raisonnable de ce qui doit finir : quelque chose
comme la mort douce qu'on souhaite à ceux qu'on
aime... »

Plus elle fixait son esprit sur ce dessein, plus
elle en sentait l'inéluctable nécessité. Si elle s'en
affligeait encore, c'était avec une résignation attendrie, bien éloignée des désespoirs où la plongeait
jadis la seule idée de la séparation. Déjà même
elle songeait aux moyens de le réaliser, cherchait
les paroles qu'il faudrait dire : et leur choix lui
semblait difficile, car elle voulait une coupure
franche, sans une goutte de venin...

Tandis qu'Irène dénouait ainsi, en pensée,
l'écheveau de sa destinée, le public commençait
à s'agiter. A vrai dire, le mécontentement ne se
trahissait encore que par de légers murmures, des
toux trop fréquentes. Mais on l'entendait grossir.

Mme Storm toucha de son éventail le bras de sa fille, en disant :

— Ça se gâte !

Le duo prolongé d'Aldona dans la tour et de Wallenrod sur la scène lassait la patience des auditeurs. Lysel s'était figuré que l'invisibilité de la bien-aimée prêterait un accent profond et mystérieux à ce long morceau, fugué avec beaucoup de science. Mais le chant des deux protagonistes se perdait dans le vide du décor, comme leur amour ; le drame se noyait dans une musique sans objet ; comme aucune émotion ne gagnait les spectateurs, ils réagissaient d'instinct contre un romantisme nuageux, dont la déclamation musicale ne voilait pas assez la grandiloquence désuète, insuffisamment rajeunie par les vers libres de Pack. Ce chevalier barbu, grisonnant, bardé de fer, qui roucoulait tout seul, les yeux levés vers une tour d'où lui répondait une voix qu'on entendait mal, paraissait un peu ridicule : des mots drôles devaient courir là-haut, au pigeonnier, d'où descendaient de vagues éclats de rire. Mme Storm résuma l'impression générale en disant :

— Un duo d'amour où l'on est seul... c'est drôle !

Irène répondit nerveusement :

— La musique est superbe !

Ces bruits d'orage, ces menaces arrêtaient brusquement le vol de ses pensées, qui tout de

suite furent auprès de Lysel, derrière la scène.
Elle partagea son angoisse. Elle brûla de lui
prendre la main, comme tout à l'heure, de lui
dire : « Ne suis-je pas là, moi, toujours, pour
vous acclamer, vous consoler, croire en vous ! »
En un clin d'œil, l'imminence de ce danger imprévu chassa les autres soucis : il n'y avait plus
au monde que cette foule inquiétante et perfide,
cette œuvre ballottée comme dans un naufrage,
cet homme qui souffrait et qu'elle appela de tout
son cœur. Quand le rideau tomba, au milieu des
murmures, elle applaudit avec frénésie, debout,
à déchirer ses gants. Mme Storm applaudit aussi,
pour lui faire plaisir, du bout des doigts :

— Peut-être est-ce trop fort pour le public !
fit-elle avec cette rancune dédaigneuse que les
âmes vulgaires vouent aux artistes vaincus.

En ce moment, Hugo Meyer, suivi de Louise,
fit irruption dans la loge. Il était furieux : sa cri-
nière couleur d'étoupes se hérissait sur son front
écarlate, dont les veines se gonflaient à éclater ;
il brûlait de haranguer la foule, comme aux temps
héroïques où, mettant sous son bras son bâton
de chef d'orchestre, il adressait aux siffleurs ces
fougueuses apostrophes qui l'avaient rendu popu-
laire.

— Les imbéciles ! les sourds ! criait-il en ges-
ticulant dans le fond de la loge. Ils n'ont pas
d'oreilles ! Ils n'ont pas compris ! Ils ne com-
prennent jamais !... Ah ! s'ils comprenaient !...

S'ils comprenaient, ils trépigneraient d'enthousiasme !... Mais il faut leur expliquer !... Et moi,
je... je ne peux plus !...

Sa langue s'empâtait, ses mains tremblaient,
ses gros yeux en boule sortaient de leurs orbites,
tandis que Louise, en joignant les mains, suppliait
Irène, à voix basse :

— Calmez-le, madame, je vous en supplie !...
Il va se faire du mal !... Il va se tuer !... Pensez
que le médecin lui défend les émotions !...

Irène ne l'écoutait pas. Au contraire, grisée
aussi par cette odeur de bataille, elle excitait le
vieux lutteur :

— Faites ce que vous pouvez, monsieur !...
Allez au foyer, parlez aux gens, aux confrères,
aux critiques !... Dites-leur que c'est beau : il
faudra bien qu'ils vous croient !

— Mais non, madame, il ne peut pas..., gémit
Louise. Puisque les émotions lui sont inter-
dites !... Hugo, je t'en conjure, viens !... Viens,
viens, allons-nous-en !... Rentrons à la maison !...

Il la repoussa, bondit hors de la loge, se jeta
sur un groupe d'habitués qui entouraient juste-
ment un critique connu pour sa sévérité. Ce fut
à peine si on l'écouta : on parlait d'un scandale
politico-judiciaire, qui battait son plein. Comme
il se détournait de ces indifférents, il entendit,
dans un autre groupe, ces deux répliques :

— Ce pauvre Lysel, s'est-il assez trompé !

— Les gens de talent ne se trompent pas à demi.

Il clama :

— C'est vous qui vous trompez, entendez-vous ?... Vous vous trompez tous !

Et, comme les autres se retournaient en ricanant :

— C'est moi qui vous le dis, messieurs, moi, moi, Hugo Meyer !... Un vieux de la vieille, qui a toujours vu clair !...

De son côté, Lysel subissait les rebuffades du directeur, les nerfs de ses interprètes, les regards narquois du personnel. Comme il errait parmi les praticables, son librettiste s'approcha de lui. Sérénité d'âme, indifférence ou affection d'olympisme, le jeune Pack restait aussi calme que s'il eût été étranger à l'affaire ; tout en consolant avec une pointe d'ironie son grand collaborateur, il tira, non sans adresse, son épingle du jeu :

— Que voulez-vous, mon cher maître, tout n'est qu'heur et malheur ! Vous avez eu tant de triomphes : il ne vous manquait qu'un échec. Tous les grands artistes n'en ont-ils pas eu ? Ma part ici est bien modeste ; je n'en suis pas moins fier de penser que vous me devrez un peu du vôtre !

Au risque de sembler fuir, Lysel n'eut pas le courage de rester dans les coulisses jusqu'à la fin de l'entr'acte. Il revint auprès d'Irène, et répondit au regard compatissant qui l'accueillit :

— Pas un ami n'est venu me voir. Est-ce assez éloquent ?

Il avait ses yeux tristes, — les yeux qui le faisaient aimer.

— Ne vous découragez donc pas, mon cher
Lysel, dit Mme Storm qui avait entendu : les
amis reviennent toujours avec le succès.

La sonnette de l'entr'acte renvoya les spectateurs à leurs places. Leurs sentiments s'étaient
fortifiés dans les conversations des couloirs : un
rien pouvait rendre agressive leur indifférence,
blagueur leur ennui. Les rivaux, les ennemis, les
envieux, les malveillants, trouvant le terrain
favorable, avaient poussé leur pointe : pourquoi
diable un violoniste se mêlait-il de faire un opéra ?...
Dès le lever du rideau, les toux hostiles recom-
mencèrent : quelques-unes, calculées, sonnaient
plus fort. Retirés dans le fond de la baignoire,
dont Mme Storm occupait seule le balcon, Irène
et Lysel suivaient le spectacle dans la glace, où
les décors et les personnages se réfléchissaient
fantomatiquement. On supporta mal la scène du
banquet : sur un *crescendo* que marquaient de
puissants accords de cuivre, les chevaliers de
l'Ordre, trompés par Conrad, leur chef, décidè-
rent d'ouvrir la campagne où celui-ci les
trahirait au profit de son ancienne patrie. On
ne comprit rien à ces desseins ténébreux, non
plus qu'à la musique compliquée de l'ensemble.
La salle devenait houleuse autour de l'œuvre
submergée.

— C'est un désastre ! fit Lysel, qui ne tenait

pas en place. Il me faut retourner là-bas : j'aurais
l'air de me cacher.

— Oui, allez !... On vous accompagne.

Et Irène, comme on marche à l'ennemi, retourna
s'asseoir auprès de sa mère.

— Le pauvre garçon ! fit Mme Storm. Tant de
peine pour un tel résultat !

La loge s'ouvrit, la grêle silhouette de M. Jaffé
apparut. Il avait tenu à faire acte de présence,
sans se résoudre à rester là toute la soirée. Si peu
accoutumé qu'il fût aux mouvements des « premières », ceux de la salle étaient assez clairs pour
qu'il en comprît aussitôt le sens.

— Oh ! oh ! fit-il, avec un sourire équivoque.

Ce sourire n'exprimait pas l'exacte nuance de
ses sentiments. Incapable de rancune comme de
méchanceté, M. Jaffé n'aurait pu se réjouir du
malheur de personne, fût-ce d'un ennemi, et
malgré tout, son indépendance d'esprit l'empêchait de regarder Lysel comme tel Mais il souriait
rarement ; et quand il lui arrivait de sourire, son
visage prenait une expression sardonique, sans
qu'il y mît aucune malice. Énervée par les émotions de la soirée, Irène s'offensa de ce malen-
contreux sourire, qui lui parut trahir des sar-
casmes pourtant peu conformes à la douceur
d'âme de ce sage.

— Cela ne va donc pas ? demanda-t-il en s'as-
seyant en retrait entre les deux femmes.

— Vous voyez bien, répondit-elle sèchement.

Mme Storm regarda son gendre, puis leva les yeux, pinça les lèvres, haussa les épaules, dans une pantomime qui signifiait : « Tout est perdu ! »

M. Jaffé se mit alors à suivre le spectacle, de cet air d'attention concentrée qui lui était habituel et donnait à sa personne un aspect sévère, presque maussade. Ses lèvres s'amincissaient, son dos s'arrondissait, sa tête s'enfonçait entre ses épaules, comme celle d'un échassier. De temps en temps, il faisait « hum ! hum ! » L'index de sa main droite, posée sur ses genoux, battait machinalement la mesure. — Ce troisième acte, rempli par des scènes de conseils et de discussions, manquait complètement d'intérêt dramatique. Lysel y reconnaissait la partie la plus faible de son ouvrage. Il avait cru le sauver en y accumulant une grande richesse de thèmes développés avec toutes les ressources de son art. Le public ne remarqua pas ces beautés, d'un ordre peut-être trop purement musical pour un opéra ; mais elles ne pouvaient échapper à une oreille aussi exercée que celle de M. Jaffé.

— Qu'est-ce qu'*ils* ont donc ? demanda-t-il en regardant sa femme. C'est très bien, tout cela !

Irène crut lui trouver un ton de condescendance qui changea pour elle le sens de l'éloge ; elle ne répondit que par un regard fâché, qui le froissa.

— Ah ! mon cher, expliqua Mme Storm, quand le public est mal disposé, voilà ce qui se passe !

— Le public est bizarre ! conclut M. Jaffé.

Et il se replia sur lui-même, sans plus rien dire. Sa figure s'assombrit davantage, sa tête disparut presque entre ses épaules, ses « hum ! hum ! » se multiplièrent. A la fin de l'acte, des bruits hostiles étouffèrent de grêles applaudissements, auxquels il mêla les siens. Il regarda sa femme, qui regarda d'un autre côté ; après quelques secondes d'hésitation, il dit d'un ton perplexe :

— A présent, je crois que je vais partir.

Irène ne répondit rien. Mme Storm, que ce désastre ennuyait à périr, saisit la balle au bond :

— Voulez-vous m'emmener ?... Je suis un peu fatiguée : à mon âge...

M. Jaffé la regarda avec stupéfaction : c'était la première fois qu'il entendait sa belle-mère invoquer son âge. Il ne l'en aida pas moins à s'envelopper dans des manteaux et des écharpes, endossa son pardessus, noua un foulard autour de son cou, lent et précautionneux comme toujours.

— Au revoir, ma chère amie !

Mme Storm, dont la figure peinte disparaissait dans la dentelle, ajouta :

— Ne prends pas cela trop au tragique, Irène : c'est la vie !...

« Moi qui allais *leur* faire un tel sacrifice ! » se dit Irène, en réunissant ainsi dans sa rancune sa mère et son mari, comme s'ils se fussent ligués contre elle. — En un instant, Lysel la recon-

quérait encore par son malheur : n'était-ce pas déjà
le malheur qui l'avait conquise une première fois ?
Tant de nobles femmes se perdent pour consoler !
Et leur cœur délicat saigne plus que le nôtre des
blessures qui nous frappent dans la lutte, que la
lutte guérit...

Seule, maintenant, dans la baignoire, comme un
naufragé sur un radeau, elle s'y trouvait moins
seule que tout à l'heure, entre ces deux êtres si
proches et si différents d'elle. Lysel allait revenir ;
ils seraient deux contre la foule, deux à la braver,
si profondément unis que rien ne les séparerait
plus désormais. Ils s'enfermeraient dans leur
amour comme dans une tour imprenable. Ils
repousseraient toutes les attaques du dehors.
Leur volonté d'être heureux imposerait silence
aux voix intérieures qui leur faisaient tant de mal...

Cependant, la voix furieuse de Hugo Meyer
éclata dans la loge voisine : il devait tenir quelque
critique ou quelque confrère, car il employait des
termes techniques, analysant la trame orchestrale
et les thèmes mélodiques en spécialiste parlant
à un spécialiste. Comme il ne réussissait sans doute
pas à convaincre son interlocuteur, il finit par
lancer une de ces bordées de jurons dont il était
coutumier. Des jeunes gens, debout dans l'orchestre,
l'ayant entendu, le lorgnèrent en ricanant. Le
brave homme avait le verbe haut : on sait qu'à
l'un de ses concerts, où les siffleurs de Wagner
refusaient d'écouter sa harangue, il avait déchaîné

un terrible scandale en leur lançant un mot qui n'est héroïque que dans l'histoire. En ce moment, sa sonore colère soulageait Irène : « Celui-là nous reste, songeait-elle, et celui-là ne s'est jamais trompé ! »

L'entr'acte se prolongeant, l'humeur de la foule s'aigrit dans l'attente. L'indifférence devenait gouailleuse. On s'excitait d'un groupe à l'autre. Des pieds impatients esquissèrent le rythme des *Lampions*. Au moment où l'on frappait enfin les trois coups au milieu de « ah ! » prolongés, Lysel reparut dans la baignoire. Il était pâle, comme un blessé. Il tremblait d'énervement. Une crise de nerfs d'Aldona l'avait retenu pendant l'entr'acte. Gâtée par ses succès d'artiste et de jolie femme, la chanteuse lui avait, entre ses larmes, reproché son humiliation :

— Sifflée, moi, moi !... sifflée !... Pour la première fois de ma vie !... Et par votre faute, monsieur !...

Il raconta cette scène, frémissant. Irène lui prit les deux mains, les serra, le plaignit de toute sa tendresse :

— Ah ! comme on vous aime !... comme on vous aime quand vous êtes malheureux !...

— Oh ! oui, je vous en supplie, aimez-moi toujours !...

Il était comme un enfant qui se réfugie dans des bras compatissants, le cœur gonflé par un chagrin trop gros pour ses forces. Elle ne pen-

sait plus qu'à le bercer, qu'à le chérir, qu'à le
défendre au prix de toutes ses autres affections,
de ses scrupules, de ses devoirs, de sa vie...

Cependant, on prenait fort mal l'héroïque
trahison de Wallenrod, rien n'étant plus difficile
à faire accepter du public que ces sentiments
complexes, qui déroutent ses catégories. L'orage
montait. Après s'être ennuyée, la salle s'indi-
gnait. On n'écoutait plus. On comprenait de travers. On se demandait : « Qu'est-ce que c'est que
ces folies ? » Des mains nerveuses froissaient le
livret. Les interprètes, affolés, lâchaient leurs
parties. L'orchestre jouait à la débandade. Lais-
sant Lysel au fond de la loge, Irène s'avança au
balcon, debout, dans un irrésistible besoin de
braver la tempête. Comme un sifflet strident dé-
chirait le tumulte, elle y répondit en criant :
« Bravo ! » La grosse voix de Hugo Meyer fit
chorus : n'y tenant plus, il venait la rejoindre,
suivi par Louise qui recommença ses objurgations :

— Mon cher Lysel !... Ma chère Madame !... Je
vous en supplie, calmez-le !...

Le vieux maître l'écarta, comme un buffle
furieux peut écarter une branche importune. Il
secouait les mains de Lysel en roulant ses yeux
injectés, en cherchant les mots qu'il ne trouvait plus ou qui s'empâtaient sur sa langue
épaissie :

— C'est une œuvre..., une œuvre... Ah ! mon
ami !... Vous aurez une... une... une revanche...,

un jour !... Je vous le prédis !... Ils verront... que c'était une œuvre !...

Lysel restait accablé :

— On n'a jamais vu un four pareil à l'Opéra, répétait-il.

— Depuis *Tannhæuser !* s'écria Irène.

Hugo Meyer approuva :

— Oui, oui... Et j'y étais aussi !... Et je... je leur criai... comme aujourd'hui...

— Dites-le-lui bien fort, monsieur, vous qu'il écoute, pour qu'il le croie, et méprise ces hurleurs !...

Irène tendait le bras vers la salle, où éclatait la tempête des sifflets, des huées, des « assez ! » La musique, maintenant, les exaspérait autant que le drame : ils la trouvaient obscure, incohérente, vide, criarde, elle leur faisait mal aux oreilles ! Et les quatre amis restaient debout dans leur loge, impuissants, désespérés, comme des abandonnés qui voient gronder autour d'eux l'incendie ou l'inondation.

Le rideau tomba : ce fut le signal d'un redoublement de tapage. La foule démontée se livrait aux déchaînements de cette fureur collective qui se nourrit d'elle-même. On eut mille peines à lui jeter le nom des deux auteurs : le nom inconnu de Wladimir Pack fut couvert de dérision ; devant le nom aimé de Lysel, les huées s'arrêtèrent un instant. Comme elles recommençaient de plus belle, sur l'initiative d'un groupe de siffleurs

massés dans un coin de l'orchestre, près de la
baignoire de Mme Jaffé, Hugo Meyer, les poings
en avant, leur cria, de sa voix formidable :

— Tas de brutes !

Chacun prenant sa part de l'injure, la clameur
redoubla. Dans les rangs les plus proches, on
reconnaissait le vieux maître, on le nommait,
des questions et des réponses furieuses s'entre-
croisaient :

— Qu'est-ce qui lui prend, à celui-là !

— C'est encore ce vieux fou !

— On le croyait mort.

— Se figure-t-il qu'il est ici chez lui ?

Ses grands bras gesticulaient dans l'encadre-
ment de la loge, tandis que Louise s'efforçait de
le tirer par la manche : et les mots ne sortaient
plus de ses lèvres convulsées. Il parvint pourtant
à lancer encore une fois son cri :

— Tas de brutes !

Puis ses yeux chavirèrent, sa tête cramoisie
retomba sur sa poitrine, ses bras battirent l'air
comme les ailes d'un grand oiseau blessé.

— Le vieux rageur ! dit quelqu'un, il ne pouvait pas finir autrement !

Des inconnus, envahissant la baignoire, s'em-
pressaient autour de lui. Les ouvreuses ame-
nèrent un médecin. Louise gémissait :

— Ah ! pourquoi a-t-il voulu venir ?... Pourquoi !... Pourquoi !...

La foule vidait lentement la salle, en fouillant

des yeux la baignoire où râlait le vieil artiste. On
s'interrogeait. On se disait de l'un à l'autre tout
ce qu'on savait, et tout ce qu'on ne savait pas :

— Il était donc avec Lysel ?

— Non. Dans la loge à côté. Lysel était avec
une femme.

— Qui donc ? Est-ce qu'on la connaît ?

Il se trouva des gens renseignés pour répondre :

— Mme Jaffé. La femme de l'écrivain. Vous
savez bien !...

IV

LA DERNIÈRE PROMENADE

La veille du départ, Irène et Lysel firent ensemble une dernière promenade.

Lysel apportait à leur rendez-vous la tristesse anticipée de cette séparation qu'il se reprochait d'avoir voulue, celle de l'état désespéré de son vieil ami dont la fin semblait prochaine, d'obscurs pressentiments qu'il s'efforçait en vain de repousser ; Irène y venait dans l'angoisse de son cœur ballotté au gré de résolutions contraires, accompagnée par la sourde voix menaçante qui depuis si longtemps sonnait à son oreille le glas de son amour. Par cette humide journée d'automne, par cette fin d'après-midi déjà froide, ils trouvèrent solitaire à souhait le parc de Saint-Cloud, où ils entrèrent par la porte de Sèvres. Quelques silhouettes de promeneurs glissaient dans la grande allée ; pour les éviter, ils obliquèrent à gauche aussitôt après les grilles, traversèrent les pelouses desséchées, gravirent la pente où des hêtres, des acacias, quelques bouleaux mariaient leurs feuillages nuancés aux lourdes feuilles des

marronniers. Leurs pas bruissaient sur une couche,
épaisse déjà, de feuilles mortes ; une humidité
fraîche, odorante, montait du sol, des herbes, des
branches, emperlait comme d'une rosée la voilette
d'Irène, les imprégnait tous deux de sa frissonnante mélancolie ; les tons rouillés des arbres,
qu'un rayon de soleil eût animés, s'éteignaient sous
le ciel bas, où pendaient de gros nuages.

— Que cette heure est donc triste ! murmura
Lysel.

— C'est beau, pourtant, répondit Irène.

— C'est désolé.

Une idée musicale, éveillée par l'harmonie des
couleurs, de l'atmosphère et de ses pensées, dut
lui traverser l'esprit ; car il ajouta :

— Quel accompagnement !

Que ce soit le soleil du matin ou l'ombre du
soir qui les baigne, qu'elle s'éveille dans la gaîté
du printemps ou s'assoupisse aux approches de
l'hiver, la nature nous offre toujours l'abri de ses
espaces, de ses ciels, de ses arbres et de ses eaux.
Ses murmures éternels bercent comme un chant
la discordance de nos passions passagères ; en les
écoutant, nous rentrons dans son règne comme
des atomes oubliés ou des sons perdus, et les
vaines plaintes de nos cœurs se fondent dans son
concert. Ainsi, la beauté de ce novembre en deuil
nuançait d'une secrète douceur la tristesse de
l'adieu tout proche...

Une autre avenue coupait les collines, de son

large ruban droit, entre les marronniers. D'autres
silhouettes y passaient. Les deux promeneurs
pressèrent le pas pour la traverser, puis reprirent
leur lente ascension, si oppressés qu'ils entendaient leurs souffles plus rapides.

— Il me semble que nous sommes des ombres
errant sous ces arbres, dit Lysel. Ne sentez-vous
pas qu'il y a déjà de l'espace entre nous ?

Irène inclina la tête dans un geste d'acquies-
cement.

— Il y a déjà de l'espace entre nous, répéta
Lysel. Pourtant nous sommes ensemble : je vous
vois, je vous sens, vous pouvez mettre votre main
dans les miennes. Que sera-ce demain ?

Irène murmura faiblement :

— Après, il y aura le retour...

Mais elle ne croyait pas à ses propres paroles,
et Lysel le sentit :

— Ce sera si long ! s'écria-t-il. Que de choses
changeront peut-être !... Le pauvre Hugo ne sera
plus là : je lui ai dit adieu tout à l'heure, il ne
m'a pas reconnu... Oh ! la douleur d'un adieu
qu'on sait éternel !... Vous, du moins, je vous
retrouverai...

Il crut voir un éclair de doute traverser le
regard d'Irène.

— Oui, je vous retrouverai..., répéta-t-il avec
plus de force. Serez-vous la même ?...

Elle lui pressa doucement le bras, sans répondre : le savait-elle ? Elle pensa que la vie joue

avec nos cœurs comme le vent avec les feuilles, et ne voulut pas dire cela. Ils traversaient un pont rustique, jeté sur une gorge artificielle où des plantes agrestes s'accrochaient aux rocailles. Ils s'arrêtèrent, les yeux errants sur cette fantaisie alpestre ; des souvenirs de belles heures sur les hauteurs, dans des étés enfuis, les effleurèrent :

— Il y a des moments où l'on voudrait arrêter le temps, dit Lysel en pensant à ces heures envolées. Quand on a l'amour, on voudrait le garder toujours le même, toujours !... N'avez-vous jamais eu ce désir, Irène, de rester comme nous sommes là, sans entendre aucune voix du dehors, sans rien savoir de ce qui n'est pas nous, pour une minute dont les secondes seraient des siècles et qui ne finirait jamais ?

— Oh ! oui, fit-elle. Ensemble !...

— Mais tout change, je sais !... Tout change autour de moi !... Pourquoi ne puis-je changer aussi ?... J'ai l'âge où je vous ai connue, Irène... Il me semble que j'aurai toujours cet âge-là... Ma vie n'ira pas plus loin : l'instant où je vous ai rencontrée l'a fixée pour jamais... Des années ont coulé, n'est-ce pas ?... Je suis le même : je le resterai tant que j'aurai un souffle dans la poitrine !...

— Vous êtes fidèle et bon, mon ami... Pourtant, vous changez, vous aussi, sans le voir... La vie joue avec nous comme le vent avec ces nuages,

et nous force à changer comme eux... C'est la loi
commune : il faut l'accepter !...

— Comment pouvez-vous dire cela ?... Je n'ac-
cepte rien : je me révolte !... L'amour, notre
amour est plus fort que les nuages... Au retour,
nous arrêterons le temps comme l'aiguille d'un
cadran !...

— On arrête l'aiguille ; le temps poursuit sa
marche. Tout ce qui doit passer, passe ; tout ce
qui doit changer, change... Notre volonté n'y peut
rien...

Ils s'étaient remis à marcher. Une clairière
s'ouvrit devant eux : une longue bande de gazon
jauni par l'automne, bordé par la forêt. Quelques
vaches tondaient sans bruit les derniers brins
d'herbe. Les mêmes souvenirs revinrent, plus précis, plus nombreux, plus pressants : leurs meil-
leures journées, leurs plus belles heures, ils les
avaient eues là-haut, au cours des étés tranquilles, dans la solitude des pâturages, aux flancs
des vallées en fleurs ; quel hasard fatidique leur
en renvoyait donc, en ces tristes instants, l'image
ternie, l'écho assourdi ? Irène s'arrêta, en regardant son ami :

— Vous rappelez-vous nos promenades, là-bas,
autour d'Interlaken ?... Et les autres années, à
Zermatt, à Saas-Fée, à Salvan ?...

La vision de ces heures emportées au courant
du passé, celle des paysages immobiles qui se
mireraient en d'autres regards et prêteraient à

d'autres voyageurs leur décor passif et magnifique, traversa leur pensée ; leurs yeux se fer-
mèrent ensemble comme pour la retenir. La
même angoisse affreuse les oppressait tous deux,
au même endroit du cœur : ces heures ne revien-
draient jamais ; le cours infini du temps n'en ramènerait plus de pareilles, pas plus que le fleuve
qui fuit sans cesse ne ramène deux fois la même
goutte d'eau ; le glissement des années les affai-
blirait dans leur mémoire, jusqu'à ce que la mort
achevât de les effacer... La douleur fut si aiguë,
que des larmes mouillèrent leurs cils. Ils les essuyè-
rent d'un geste furtif, en se détournant, puis se
regardèrent en tâchant de sourire, chacun cherchant du courage dans son désir d'en inspirer.
Et de nouveau, ils se réfugièrent dans le silence
amical où tout se cache, où tout s'exprime, dans
ce vibrant silence où se rejoignent, à l'abri des
obstacles et des regrets, les cœurs que sépare la
vie, qu'unit l'amour. Ils se turent délicieusement,
dans une entente qu'aucune parole ne saurait
exprimer. Ils se turent comme on se tait ensemble
quand on s'aime, sûrs que les ondes de leurs pensées se confondaient dans un accord plus parfait
que ceux des sons les plus harmonieux. Des minutes
divines, dont un seul d'entre eux devait un jour
mesurer le prix, s'envolèrent dans le vent frais,
dans le vent insensible qui cueillait autour d'eux
les feuilles mourantes et les déposait sur le sol avec
un frôlement plaintif.

— Ah ! chérie ! appela enfin Lysel, dans un
immense élan de tendresse.

Elle se serra contre lui, tremblante d'émotion,
de crainte, d'amour. Le ciel, déjà si bas, s'alourdissait encore : sa noirceur menaçante chassait
du parc les derniers promeneurs, et peut-être
alourdissait leurs pressentiments.

— Nous avions les mêmes appréhensions là-
bas, le soir d'Umspunnen, dit Lysel pour répondre à leurs pensées. Vous souvenez-vous ?...
Moi, je craignais quelque chose... quelque chose
de plus cruel encore que le départ...

— Pourquoi rappelez-vous cela ? interrompit-
elle.

— Ne croyez pas que ce soit pour vous faire
un reproche !... Non, non !... Au contraire, c'est
pour vous dire que nous nous sommes retrouvés
quand même... Je vous ai sentie si près de moi,
l'autre soir, dans mon malheur... Si près, et si
tendrement consolante !... Plus près que jamais,
chérie !... comme si je vous avais reconquise !...
Quand je suis rentré en pensant à vous, je savais
qu'aucun triomphe ne m'aurait donné un bonheur
égal !... Maintenant, voyez, nous sommes ensemble
encore une fois !...

Elle murmura :

— Pour si peu de temps !...

Ses regards étaient chargés d'amour et de désespoir. Lysel n'en retint, n'en voulut retenir que
l'amour.

— Pour peu de temps, c'est vrai, dit-il, à cause
de ce maudit voyage. Mais après?... Quand je
vous aurai retrouvée, je ne partirai plus jamais !...

Elle sourit tristement, sans relever ces paroles :
le courant de ses intimes pensées l'empêchait de
suivre son ami vers l'avenir incertain ; au contraire, il la ramenait obstinément au passé, comme
une eau qui reviendrait à la source prête à tarir.
Peut-être songeait-elle au couchant d'Interlaken,
peut-être à d'autres soirées ; elle dit :

— Cette fois, le soleil tombe sans éclat, la nuit
triomphe dans tout l'espace ; il n'y a pas devant
nous de cime blanche qui retienne un dernier rayon
de lumière, la saison meurt comme le jour, c'est
le froid, c'est l'obscurité, c'est l'hiver... Nous en
sommes entourés...

— Taisez-vous ! supplia Lysel : ne doutons pas
de l'avenir !

— Vous dites cela, et vous partez demain, et
nous sommes ici pour nous dire adieu !...

— Pas adieu, corrigea-t-il : au revoir !

— Je sais, vous n'aimez pas les mots qui dé-
chirent. Ils sont les plus vrais, cependant. Adieu,
quand on va se quitter, n'est-ce pas le seul qui
convienne ? Il veut dire : Je vous remets au destin,
au hasard, à la fatalité...

— A Dieu ! dit gravement Lysel.

— Peut-être !...

En ce moment, deux gamins dévalèrent des
pentes, en se poursuivant, avec des cris. Le plus

petit tomba, pleura, boita. L'autre lui frotta la jambe et l'emmena en répétant :

— Dépêche-toi quand même, il va pleuvoir !...

Ils disparurent : leur bruit s'étouffa au bas de la colline. La courte diversion permit à Irène de se ressaisir.

— Vous avez raison, reprit-elle quand le silence se fut rétabli. L'avenir nous est caché : mieux vaut donc espérer !

— Oui, affirma Lysel dans un élan de confiance, il faut espérer !

Ce fut comme un rayon de soleil dans un ciel noir.

— Nous perdons nos derniers instants à nous désoler, reprit-il ; nous aurions tant de choses à nous dire !...

Il avisa un tronc d'arbre allongé à la lisière du bois.

— Si nous nous asseyions là, pour causer ? proposa-t-il.

Mais quand ils furent assis à côté l'un de l'autre, dans le mystère du crépuscule, les paroles manquèrent encore à leurs cœurs gonflés. Ce fut Irène qui rompit le silence :

— Eh bien ?... demanda-t-elle en tâchant de sourire.

— D'abord... vous ne douterez jamais de moi ?

— Je n'ai jamais douté de vous, mon ami.

— Et vous m'écrirez ?

— Oui, je vous écrirai.

— Régulièrement, comme les autres fois ?

— Je tâcherai... Mais les lettres !...

— Je sais : on ne peut pas tout se dire.

— On a peur de tout se dire !... Ces petits morceaux de papier qui traverseront la mer, on n'ose pas s'y fier tout à fait... Et puis, on cause si mal, la plume à la main !... Vous savez, je ne suis pas une Sévigné, moi !...

— Ces petits morceaux de papier, comme vous dites, m'aideront pourtant à supporter l'absence... Je les attendrai... Ils me diront où vous êtes, qui vous voyez, ce que vous faites... Vous me raconterez tout ce qui vous arrive... C'est un grand effort, que je vous demande là... Vous parlez si peu de vous !... Tenez ! vous ne m'avez plus rien dit de vos projets de voyage, pour cet hiver...

— Incertains, comme tant de choses... M. Jaffé parle de partir très prochainement.

Elle ne dit pas qu'elle avait dû lutter pour retarder le départ.

— Je ne serai pas fâché de vous savoir en Italie, pendant mon absence : ici, il peut toujours survenir quelque chose... Par exemple, je compte bien que vous rentrerez en même temps que moi !... Sinon, ah ! sinon, je vous avertis que j'irai vous chercher !... Même, si notre revoir n'en était pas retardé, j'aimerais autant cela... Il y a toujours tant de dérangements imprévus, à Paris !... Et puis, quel beau cadre, pour se retrouver, au printemps, qu'une de ces chères villes de lumière et d'amour !...

Avec son habituelle mobilité d'impressions, il s'ouvrait à l'espoir. Ses yeux brillaient : le long espace de leur séparation était aboli. Il se mit à parler du retour comme d'une dette que la destinée leur payerait une fois encore. Il dit ce qu'il souhaitait de changer ou de conserver dans le plan de leur existence. Il disposa de l'avenir. Irène, en l'écoutant, regardait voltiger les feuilles autour d'eux ; elle songeait toujours aux forces insensibles qui nous traitent comme le vent traitait ces innombrables feuilles, qui nous arrachent, nous emportent, nous déposent où il leur plaît, selon des fins inconnues, sans que nos vœux les arrêtent, sans que nos désespoirs les fléchissent ; et peut-être en sentait-elle le souffle dans ses cheveux, tandis que Lysel allait toujours, emporté par sa fantaisie, comme un cavalier qui ne voit pas l'abîme.

— Nous n'êtes déjà presque plus triste, fit-elle avec un bon sourire indulgent.

— C'est un répit : je le redeviendrai dès que je ne vous verrai plus... Quand vous êtes là, près de moi, il me semble que nous ne nous quitterons jamais ou que nous nous retrouverons demain...

— Demain ? répéta-t-elle.

Et, se reprenant encore :

— La confiance se gagne : vous en avez assez, à cette heure, pour m'en donner un peu !...

Une fine pluie d'automne commençait à tomber. Ils regardèrent le ciel, tout noir, tout bas, l'air qui s'embrumait, les gouttelettes déjà serrées qui s'accrochaient aux brins d'herbe.

— Il faudrait rentrer, dit Irène en se levant.

— Nous causions si bien ! répondit Lysel. Pourquoi la pluie vient-elle nous gâter notre dernière promenade !...

Comme si ces mots ramenaient les sombres pressentiments dans l'esprit d'Irène, elle les répéta, à demi-voix, d'un accent profond qui en changeait le sens :

— Notre dernière promenade !...

Pour redescendre, ils passèrent au pied des rocailles, par la gorge étroite où s'épaississaient les ombres du crépuscule. Le silence était plus profond : les bruits éloignés de la route ne leur parvenaient plus. Ils n'entendaient que le crépitement de la pluie sur les feuilles sèches. Ils se sentaient bien seuls, dans cet enfoncement, aux approches de la nuit, gardés de loin par les arbres que l'automne dépouillait. Lysel s'arrêta, en appelant :

— Irène !...

Comme elle s'arrêtait aussi, il la serra contre sa poitrine et lui baisa les lèvres, en balbutiant :

— Au revoir !... Au revoir !...

Elle voulut lui renvoyer cette parole d'espérance : elle ne put. Une main ténébreuse lui fermait la bouche. Elle respirait une haleine de mort. Elle eut la sensation foudroyante d'un affreux déchirement ; raidissant ses forces pour repousser ce souffle d'agonie, elle ne parvint qu'à

6

en dissimuler l'horreur, et gémit, malgré elle,
d'une voix d'enfant qui expire :

— Adieu !... Adieu !...

Lysel eut-il l'obscure intuition de l'appel terrible qu'elle entendait si clairement ? Il ne lui
demanda pas de corriger ce mot fatal. Mais ils ne
le répétèrent plus, en se quittant un peu plus tard
au bord du fleuve qui les avait ramenés. Irène
s'éloigna dans le soir et la pluie. Lysel, appuyé au
parapet, suivit des yeux la silhouette que l'ombre
effaçait. Quand il ne la vit plus, il lui sembla qu'il
restait seul à jamais, perdu dans le vaste monde
où il allait errer...

TROISIÈME PARTIE

I

APRÈS LE DÉPART

A L'HEURE où la sirène de la *Bretagne* annonçait le départ du Havre, un commissionnaire déposait un palmier chez Mme Jaffé, en insistant pour qu'on le remît sans tarder à la destinataire. Une heure sonnait. On prenait le café au petit salon. Mme Storm avait déjeuné, — par exception, car d'habitude elle ne se levait qu'après midi. Irène cachait sa profonde tristesse sous le masque de sérénité dont elle savait couvrir son visage. La femme de chambre, une Normande à mine futée, nommée Jenny, s'empressa d'apporter la plante dans son cache-pot enrubanné, avec cet air sournois que prennent les domestiques quand ils croient deviner les secrets de leurs maîtres.

— C'est pour madame, dit-elle ; l'homme a recommandé de donner tout de suite.

Doucement surprise par ce prolongement de l'adieu, Irène se sentit si attendrie, qu'elle eut peine à refouler ses larmes. Les autres comprirent de même, excepté Mme Storm qui ne pensait pas au départ de Lysel :

— Une belle plante ! remarqua-t-elle. Le ruban aussi est très bien. De chez qui ?

Elle s'approcha, lut la signature du fournisseur sur les ailes d'un papillon blanc, l'approuva.

— Mais il n'y a pas de carte ! fit-elle encore.

Irène promenait ses doigts sur les feuilles vertes, comme elle aurait caressé les ailes d'un oiseau familier.

— Il n'y en a pas besoin, dit-elle.

Mme Storm la regarda, comprit, réprima un sourire. Son jeu de physionomie n'échappa point à M. Jaffé, qui posa sur elle son regard tranquille et dit, de la voix dont il aurait donné un renseignement de bibliographie ou de statistique :

— M. Lysel a tenu à nous rappeler l'heure de son départ, je suppose.

— Oui, répondit Irène.

Mme Storm ajouta :

— C'est très amical de sa part.

Anne-Marie s'était approchée de la fenêtre, et tambourinait contre les vitres. M. Jaffé ouvrit une revue, puis la referma. Irène restait auprès de la plante. Il y eut un silence embarrassé. Pour en rompre la gêne, Mme Storm, cédant à une inconsciente liaison d'idées, se mit à parler d'une représentation de *Tristan* où elle se trouvait l'avant-veille, dans la loge de l'ambassadeur d'Autriche. Au cours de sa vie nomade, elle avait rencontré Wagner, Liszt, Hans de Bülow, les Wesendonk, et « ce pauvre Schnorr », le Tristan idéal, mort de son rôle. En parlant du spectacle, elle évoquait leurs figures, qui sortaient lentement de sa mémoire affaiblie. Le souvenir d'une promenade en bateau sur le lac de Zurich, avec son premier mari, surgit de ce lointain passé :

— En ce temps-là, je ne connaissais pas encore « Richard ». Quelqu'un me le montra, en disant : « C'est un musicien exilé, qui a du génie et qu'on siffle partout ! » Quelle figure il avait ? Heuh ! c'était un petit maigre, le menton en galoche, la barbe en collier. Pas beau, mais du caractère. « Mathilde » le buvait des yeux. Elle était assez jolie, elle, et pas du tout mal habillée. C'était le temps des crinolines. Je me suis rappelé tout cela quand on s'est mis à publier leurs lettres...

Anne-Marie avait quitté la fenêtre, et écoutait de toute son attention. Elle était ardemment curieuse de ces « histoires vraies » qu'on cache aux jeunes filles. L'éclat du nom de Wagner augmentait l'intérêt de celle-ci.

— Elles m'ont fait de la peine, ces lettres ! poursuivit la vieille dame avec condescendance. Positivement. J'avais des illusions : je m'attendais à mieux. Quand on a tant de génie, on en doit mettre partout, même en amour, ne trouvez-vous pas ? Moi, j'aurais cru qu'ils s'étaient aimés davantage, ces deux-là !

M. Jaffé avait depuis un moment l'air absent qu'il prenait quand il tenait à rester en dehors de la conversation. Son visage renfrogné désapprouvait : il n'admettait pas qu'on touchât à de tels sujets en présence de sa fille ; mille fois il l'avait dit à Mme Storm ; comme elle recommençait toujours, il la soupçonnait d'y mettre une certaine malice. D'autre part, dès qu'il s'agissait d'histoire ou de psychologie, sa passion de vérité l'empêchait de laisser passer sans la rectifier une assertion qu'il jugeait fausse. C'est pourquoi, tout en désirant qu'on parlât d'autre chose, il répondit :

— J'ai aussi lu cette correspondance, madame ; je dois vous dire que je ne partage pas votre avis.

— Oh ! moi, je n'en ai lu que des morceaux... Quelques pages, par-ci par-là... C'est la comtesse X... qui me l'avait prêtée : elle en est folle, vous savez !... Qui est-ce qui a le temps de lire de si gros livres ?

— Je l'ai lu d'un bout à l'autre, sans le trouver trop long. Le sentiment ne m'y a pas paru trop inférieur à l'œuvre qu'il a inspirée. C'est un cas plutôt rare : les romans vécus nous semblent presque toujours au-dessous des fictions où ils se sont cristallisés...

Et M. Jaffé cita des exemples, — Rousseau et Mme d'Houdetot, Lamartine et Graziella, George Sand et Alfred de Musset, — avec cette méthode impeccable dont il ne s'écartait jamais, quelque sujet qu'il traitât. Ses propos ennuyaient toujours Mme Storm, qui n'avait jamais su voir en lui que le savant le plus insipide du monde : elle l'interrompit en bâillant :

— Il est beaucoup plus difficile de vivre que
d'écrire, mon cher !

Jamais, dans ses soixante-quinze ans de frivo-
lité, elle n'avait prononcé une parole aussi profonde. M. Jaffé en resta tout abasourdi.

— C'est vrai, approuva-t-il, c'est parfaitement
vrai !

— C'est trop vrai, renchérit la vieille dame, qui
était décidément en veine de philosophie.

Une rentrée de Jenny empêcha la conversation
de poursuivre cet essor inattendu : la maîtresse
de musique de mademoiselle attendait. En l'an-
nonçant, la Normande embrassa la scène d'un de
ses insupportables regards curieux, discrets, renseignés, insolents. Irène le surprit, et se sentit
rougir.

— J'y vais ! dit Anne-Marie.

Elle aurait voulu rester encore. Mais son père
lui faisant signe de suivre Jenny, elle obéit. Sa
grand'mère la rappela pour l'embrasser.

— Quand tu auras fini ta leçon, je serai partie.
Tu viendras me voir ?

— Oui, bonne maman, bientôt !...

Mme Storm ne prolongeait jamais plus que de
raison ses visites chez les Jaffé. Condamnée à
choisir entre deux manières de s'ennuyer, chez
eux en leur compagnie ou seule chez elle, elle
résolvait le problème en alternant. Dans son petit
entresol de l'avenue du Bois-de-Boulogne, qu'elle
louait en garni depuis une dizaine d'années pour

s'épargner les embarras d'une installation, le
mouvement du dehors, le bruit, la perspective
animée la distrayaient un peu ; chez sa fille, à
qui ne l'attachait aucune sympathie en dehors des
liens du sang, elle ne se trouvait jamais tout à
fait à l'aise, et la présence de son gendre lui pro-
duisait une impression désagréable. Voyant qu'il
allumait une cigarette, —. signe qu'il ne se pres-
serait pas de se retirer dans son cabinet, — elle
se décida à battre en retraite. Une tentative pour
entraîner Irène fut repoussée.

— Non, maman, je reste, aujourd'hui !

La vieille dame raconta les visites qu'elle ferait
dans son après-midi. Le nombre de ses relations
diminuait avec les années. Il lui en restait juste
assez pour l'occuper quelques heures de temps
en temps : elle n'en faisait pas moins grand état
de leurs prétendues exigences.

— Je serai bien fatiguée quand j'aurai fini ma
tournée ! soupira-t-elle en partant.

Irène la reconduisit, et en revenant, trouva son
mari debout devant le palmier de Lysel, qu'il
contemplait d'un air pensif. Elle s'arrêta en face
de lui, de l'autre côté de la table. Ils restèrent
ainsi quelques secondes, séparés par la plante
comme par la pensée de l'absent. M. Jaffé eut
sans doute le sentiment de cet inquiétant obstacle : il détourna les yeux, comme s'il cherchait
un prétexte pour s'éloigner, et s'en fut jeter dans
la cheminée la cigarette dont il avait à peine tiré

trois ou quatre bouffées. Quant à Irène, elle gagna
lentement sa place habituelle, au coin du canapé,
prit son éternelle broderie, disposa ses soies, parut
s'absorber dans son ouvrage. M. Jaffé l'observa
un moment, cherchant sur ce visage fermé la trace
des émotions profondes et cachées que révélait
à peine l'imperceptible frémissement des lèvres ;
puis il se rapprocha d'elle, et dit de sa voix grêle,
ferme, insistante :

— C'est bien à une heure précise que M. Lysel
a dû s'embarquer, n'est-ce pas ?

Irène fit un signe affirmatif.

— Il l'a dit l'autre jour : je l'avais retenu.
Donc, cette plante ?...

Irène murmura :

— C'est son adieu.

— Son adieu ?

Elle pensa qu'il demandait le vrai sens de ce mot,
et s'empressa d'expliquer :

— Oui. Pour cinq mois.

Elle ajouta :

— J'espère bien qu'il reviendra.

— Moi aussi : je ne lui veux aucun mal, au
contraire, dit paisiblement M. Jaffé.

Puis, ayant toussé, il reprit :

— Je souhaitais seulement que vous eussiez
avec lui, avant son départ, l'explication que nous
avions jugée nécessaire... et opportune.

Irène se tut.

— J'espère que vous l'avez eue ?

Elle fit signe que non.

— Non ?... Vous aviez pourtant reconnu, avec moi, qu'elle est indispensable...

Un éclair de révolte brilla dans le regard d'Irène : pourquoi choisissait-il un moment si douloureux pour revenir sur les choses dites ? Les cœurs blindés, pensa-t-elle, ont seuls de pareilles brutalités : il devrait la laisser souffrir.

— En effet, en vous écoutant, fit-elle, il me semblait que vous aviez raison.

— En m'écoutant ?... Serait-ce à dire que maintenant ?... Irène ?

— Ah ! maintenant !...

Le regard de M. Jaffé, ce regard de chercheur à la fois naïf et sagace, essaya vainement d'ouvrir les barrières fermées du front indéchiffrable. Irène expliqua :

— Vous savez que nos idées dépendent des événements.

— C'est vrai, concéda-t-il. Du moins dans une certaine mesure. Mais où sont les événements qui ont pu modifier les vôtres ?

— Vous ne les devinez pas ?

— Non.

— Quand nous parlions de Lysel, il y a quelque temps, nous parlions d'un homme heureux. Pourtant, puisqu'il fallait lui faire mal, je vous priai de me laisser choisir mon heure, n'est-il pas vrai ?

— Vous avez eu plusieurs semaines pour la trouver.

Elle se leva, toute frémissante, et plus vibrante
à chaque phrase :

— Quelles semaines ! s'écria-t-elle. Les plus
cruelles de sa vie !... Celles où il a été frappé dans
sa meilleure amitié, puis dans l'œuvre où il avait
mis tout son génie... Hugo Meyer agonise ; vous
avez vu *Wallenrod* s'effondrer sous la sottise, l'in-
justice, l'envie... Vous l'avez vu...

— Je comprends que Lysel soit très affecté de
tout cela, repartit posément M. Jaffé. Toutefois,
son ami semblait hors de danger, avant de com-
mettre une grosse imprudence ; et je ne vois pas
en quoi le regrettable insuccès de son opéra peut
infirmer la justesse de nos conclusions ?

— Mais quand aurais-je pu lui parler, si même
j'avais encore l'intention de le faire ? Entre ses
répétitions qui l'épuisaient ?... Dans les courts
instants qu'il me donnait en quittant le chevet
de son ami ?... Au moment où la fortune lui tournait le dos ?... En lui disant adieu, peut-être ?...
En lui disant adieu ?... Vous voyez bien que l'heure
n'est pas venue !

— Quand on attend son heure, on est sûr de
ne jamais l'entendre sonner, dit M. Jaffé en
plissant le front. On a toujours un motif pour
remettre encore...

— Quand cela serait ?...

Une fois de plus, les caprices de la logique
féminine bouleversaient les arrangements de la
sagesse. M. Jaffé n'aurait jamais supposé que sa

femme, ayant reconnu l'excellence de ses arguments, pourrait agir en sens inverse des conclusions qu'il en avait tirées selon les lois du raisonnement. Il la considéra donc avec stupéfaction, et balbutia, comme un élève mis en déroute par une question captieuse :

— Mais alors..., alors..., qu'est-ce que vous comptez faire ?

— Je ne sais pas. Il est parti pour des mois. Que vous faut-il de plus, à cette heure ?

Ces incohérentes réponses rompaient un réseau serré de déductions, de calculs. Déconcerté, M. Jaffé n'en jugea pas moins sans colère, parce qu'il était sans passion. Peut-être même son large esprit compréhensif admira-t-il la vigueur d'un sentiment si contraire à la raison, plus puissant qu'elle, pareil à ces forces de la nature que nous croyons toujours domptées et qui ne le sont jamais.

— Cependant !... fit-il en se remettant. L'action doit suivre la décision. A moins qu'on ne change d'avis, toutefois... Et j'espère que ce n'est pas votre cas... Je l'espère beaucoup, car autrement... ah ! notre situation respective ne serait plus la même !...

Quoiqu'il gardât son ton doctrinaire, sa voix devenait plus brève, trahissant un peu d'impatience.

— Je le pense bien, dit Irène.

— Vous le pensez bien !... Mais alors, ma chère amie, permettez-moi de vous demander ceci : que croyez-vous donc qu'elle sera ?

— Je ne sais : j'attends.

Elle eut un grand regard qui s'enfuit dans l'espace, et ajouta :

— Et je vous assure que je n'y pense guère...

M. Jaffé, de plus en plus surpris, gronda presque :

— La question, pourtant, vaut qu'on s'en occupe !

— Elle est très simple... Vous m'avez demandé de faire une chose que je n'ai pas faite... Et je ne pourrai pas la faire... Je ne le pourrai jamais !...

Irène s'était rassise. Son masque tombait : affaissée, elle offrait l'image d'un être dont la passion a dissous les forces, et qui s'abandonne. Son mari la plaignait peut-être ; mais, comme il aimait à le répéter, il était un être de raison, dont les motifs ne fléchissaient pas au vent des émotions.

— Je crains que vous n'ayez pas assez pensé à notre conversation, dit-il. On croirait même que vous l'avez oubliée. Vous savez si je respecte la liberté de chacun : c'est pourquoi je ne vous l'ai jamais rappelée. J'attendais que vous me disiez : « Nous sommes délivrés. » J'attendais cela de votre bon sens : j'étais seulement surpris d'attendre si longtemps. Rien ne justifie vos lenteurs, quoique vous en sembliez croire...

Elle interrompit :

— Je ne cherche pas à les justifier.

M. Jaffé acheva son raisonnement :

— Entre la décision que nous avions prise,

l'échec de son opéra et la rechute de son ami,
M. Lysel a vécu comme tout le monde, pendant
plusieurs semaines. Vous n'aviez donc aucun
motif d'atermoyer. J'entends, aucun motif exté-
rieur... Votre faiblesse me surprend : vous avez
passé le moment de la vie que le roman peut
accaparer...

Elle interrompit encore :

— Vous me l'avez déjà dit ; mais le roman est
de tous les âges.

— Non, répliqua-t-il plus sévèrement : il y a
un âge où l'on appartient aux réalités !

Elle essaya de sourire, en redressant son visage
si jeune sous la couronne des cheveux gris.

— Alors, il faut croire que je n'y suis pas encore...

M. Jaffé la regarda avec une surprise dont beaucoup de femmes se seraient offusquées jusque
dans leur désespoir. Ses yeux s'arrondirent derrière les lunettes, sa figure prit une expression de
candeur stupéfaite, dont l'accent contrastait avec
la gravité du moment.

— Vous êtes, dit-il, au dernier point d'où l'on
peut encore choisir librement sa route : l'âge de
votre fille, sinon le vôtre, vous en avertit. Vous
n'avez pas eu le courage de vous expliquer avec
M. Lysel avant son départ. C'est une faiblesse
excusable. Son absence vous offre une occasion...

Elle acheva :

— ... d'être lâche, de frapper de loin !

Il corrigea :

— Je voulais dire : une occasion d'exécuter sans scène violente un plan sagement mûri, ou, si vous préférez, de porter un coup nécessaire, que la distance atténuera... Il n'y a aucune lâcheté à profiter d'un concours de circonstances qui nous sont favorables à tous, — si du moins vous êtes résolue. Pour moi, je le suis, ma chère amie...

Il s'arrêta deux secondes, pour assurer sa voix qui tremblait un peu :

— Oui, je suis résolu. Si vous refusez de rompre avec M. Lysel avant son retour, nous reprendrons chacun notre liberté. Nous la reprendrons ouvertement, comme nous pouvons le faire sans nous mentir l'un à l'autre, puisque nous nous étions liés à cet effet par un engagement que je vous rappelle...

A ces mots, il tira de sa poche le papier qu'ils avaient signé jadis en riant de la précaution, et le mit sous les yeux d'Irène. C'était une feuille jaunie, pliée en quatre, où Mme Jaffé reconnut son écriture de jeune fille, allongée, rapide, ferme, qui avait peu changé. Près de vingt années en avaient usé les plis : vingt années de vie commune où, de mois en mois, de jour en jour, la distance s'était élargie entre leurs deux âmes, où ils avaient marché côte à côte comme deux étrangers partis pour le même voyage, qui échangent quelques paroles aux relais, se prêtent un mutuel appui aux pas difficiles, jusqu'à ce qu'ils arrivent ensemble au carrefour où bifurquent leurs chemins...

— Je ne signerais certes pas ce papier aujour-
d'hui, dit M. Jaffé, non, certes, je ne le signerais
pas : j'ai appris qu'il est des liens qu'il faut infran-
gibles. Mais c'est peut-être parce que nous l'avons
signé que ces liens se sont relâchés entre nous :
l'idée que nous nous faisons de nos devoirs nous
aide à les remplir ou à nous en dégager ; celle que
nous avons de nos droits est presque toujours
excessive.

Il toussa légèrement, et reprit :

— Quoi qu'en pense votre générosité, l'heure
est propice à ce suprême arrangement. L'absence
de M. Lysel vous facilite la rupture, si c'est le
parti que vous choisissez. Si, au contraire, vous
repoussez ce parti, elle nous aiderait à dissoudre
sans bruit notre ménage... Remarquez que je
n'exclus pas cette seconde solution, tant je respecte votre liberté. Mais je n'en vois pas une
troisième, et ne puis que vous laisser le choix...

Irène ne se fût jamais attendue à une telle in-
jonction, qui, soulevant la poussière des années,
la remit brusquement en face de sa jeunesse :

— C'est vous qui me rappelez cela ! s'écria-
t-elle. C'est vous qui exhumez ce papier ! Vous !...
Pourtant, vous savez bien que je n'ai jamais songé
à m'en servir !...

— Je le sais, Irène, et je sais pourquoi. Bien
des choses vous arrêtaient : l'estime où vous me
tenez, la pitié, un peu d'affection, je veux croire...
Votre fille, cela va de soi... Peut-être aussi la recon-

naissance de M. Lysel, que j'ai reçu chez moi, son point d'honneur, le sentiment qu'il serait odieux... Peut-être encore une certaine crainte de l'opinion, dont on n'est jamais aussi détaché qu'on se le figure !... En signant cela, — il agita dédaigneusement la feuille jaunie, — nous avions cru nous élever très haut, au-dessus des préjugés, au-dessus des lois. Il paraît que leurs vieilles entraves sont solides, puisqu'elles nous ont retenus quand même, rivés l'un à l'autre malgré notre liberté d'esprit, plus fortes que votre passion et que ma fierté... Quelle leçon, ne trouvez-vous pas ?

Il redressa sa taille un peu voûtée, qui s'affaissait depuis un moment ; ses yeux brillèrent ; sa voix prit cet accent qui révèle une conviction lentement acquise, que rien ne saurait plus ébranler :

— Je ne parle pas pour vous seule, Irène, je parle aussi pour moi. Car moi aussi, j'ai manqué de courage. Plus d'une fois, j'ai pensé à briser notre chaîne. Je n'ai pas pu. J'ai craint le bruit, les troubles d'un divorce. J'avais peur de vieillir seul. Voulez-vous tout savoir ? J'ai eu peur de perdre votre présence, et ce que vous me gardiez d'affection !... Et j'ai accepté, comme vous-même, cette espèce de compromis tacite et sans signature, dont la secrète hypocrisie a été plus forte que la franchise de notre absurde papier !... Soyons francs jusqu'au bout, maintenant : nous comptions sourdement sur le temps pour dénouer

ce nœud qui nous étranglait... Nous étions trois :
toutes sortes de chances pouvaient surgir... Et
les années ont passé, et le temps, qui ne respecte
rien, a respecté cette œuvre hybride, fruit de nos
faiblesses et de nos silences !... Et moi, pour que
je secoue enfin la paresse de ma volonté, il faut
que je lise dans les yeux de notre fille l'ordre
impérieux d'agir...

Il se leva, comme pour mieux résister à l'agitation qui colorait ses pommettes et donnait à sa
voix grêle des vibrations inconnues ; debout devant
sa femme, il continua :

— Oh ! vous m'entendez bien, ce n'est pas à
son établissement que je pense : si peu que je
connaisse le monde, je sais où s'arrêtent ses
sévérités !... Mais à présent qu'elle peut comprendre, et juger, je ne veux pas laisser sous ses
yeux le mensonge de notre vie... Je ne veux pas
cela !... A cette âme qui dépend de nous, nous
devons toute la vérité, puisque nous n'avons pas
d'autre loi, pas d'autre vertu, pas d'autre Dieu !...
Si donc vous ne pouvez pas sacrifier ce que votre
âge admet encore de passion, suivez votre cœur,
en pleine lumière, jusqu'au bout ! Dites à Anne-
Marie : « Je quitte ton père, que je n'aime plus,
pour un autre homme, que j'aime, — que j'ai
aimé toute ma vie... » Choisissez ce parti, si vous
voulez... Vous le pouvez encore : usez de la liberté
qui vous reste !... Choisissez !...

Il se tut, sans qu'Irène essayât de répondre. Il

reprit son attitude habituelle, un peu timide, un peu effacée ; et il conclut, d'une voix plus basse, dont l'imperceptible tremblement trahissait seul son émotion réprimée :

— Quant à moi, ma résolution est prise : si M. Lysel, à son retour, reprend le chemin de la maison, je désire rester seul au foyer, avec ma fille.

A peine s'était-il un instant départi de la sérénité hautaine qui faisait partie de son être : soit qu'elle lui fût naturelle, ou qu'il l'eût acquise en poursuivant ces travaux de psychologie et d'histoire qui nous instruisent sur les ressorts secrets et les conséquences éloignées de nos actes. A cette heure, il semblait déjà l'avoir recouvrée ; il termina l'entretien par le mot qui revenait le plus souvent dans sa bouche :

— Vous réfléchirez !...

Réfléchir !... Toutes les réflexions d'Irène, et depuis longtemps, n'avaient-elles pas abouti au point même où son mari voulait la conduire ? Pourtant elle se mit à recommencer le procès qu'elle croyait jugé. Que signifiait au juste l'étonnante générosité de M. Jaffé ? Quelle ironie mettait-il dans son soudain désintéressement ? Ah ! s'il avait, dix ans plus tôt, rappelé leur étrange contrat !... Mais, en s'y reportant à cette heure tardive, il devait le sentir comme elle : rien ne déferait plus l'œuvre de la vie qui les avait rivés l'un à l'autre sans unir leurs cœurs, rien ne prévaudrait plus contre les forces gardiennes du

foyer. Vis-à-vis de leur fille, de lui, d'elle-même,
des juges anonymes qui guettent nos défaillances,
avec ses cheveux déjà blanchis, à quelques années
de l'âge où l'amour meurt avec la beauté, — à
quoi lui servirait l'arrêt de justice qui la rendrait
libre ? Quel usage ferait-elle de cette liberté, qui
n'appelât le blâme, la honte, les railleries sur sa
fille et sur elle, qui ne ravalât à ses propres yeux
sa belle affection ? Les choses qui n'arrivent pas
à leur heure ne devraient plus arriver : elles
n'apportent que la vaine, la torturante recon-
struction de ce qui aurait pu être, et n'a pas été...

Elle revint caresser les feuilles du palmier, du
même geste doux, lent, amical. Comme s'il eût
pu la comprendre, elle lui parlait :

— Trop tard !... Il est trop tard !... Trop tard
pour le bonheur, trop tard pour l'amour triom-
phant !... Trop tard aussi pour la vérité, pour la
seule, — celle où l'âme consent à l'action !... Du
mensonge où j'ai vécu, je tomberai dans un autre
mensonge. Si je jette mon masque, ce sera pour
en mettre un autre sur mon visage, puisque je
garde intact, au fond de moi, l'amour que mes
lèvres renient. Mon geste change, et je suis la
même. Je trompe les autres en me trompant :
j'enfouis dans l'ombre l'objet de ma fierté. Je me
cache de ma fille au lieu de l'éclairer... Hélas !
et je connais la malheureuse idole à qui je vais
immoler mon cœur : c'est celle dont l'alliage est
fait des conventions et des préjugés, de l'hypo-

crisie et de l'intérêt, celle qui impose son culte
médiocre aux âmes basses, aux cœurs rampants !
Je le sais, et me prosterne quand même. Le sacrifice sera stérile comme tous ceux qu'on accomplit sans foi. Et c'est sans foi que je vais frapper
la victime !...

Elle versa quelques larmes, les essuya, resta
longtemps ainsi, hésitant devant cette résolution
déjà prise, puis abandonnée, qu'il fallait reprendre. Plus elle la repoussait, plus elle la sentait nécessaire. Dans la révolte de son être, elle
y pliait son âme. Et certes, ce n'était pas « réfléchir » : c'était suivre la pente que montrait le
doigt du Destin, s'incliner à l'ordre des choses,
rentrer dans cette harmonie où se fondent les
dissonances de toutes les vies, passer sous le joug
où s'humilient nos désirs impuissants, nos volontés faibles. Soit pour chercher l'apaisement
dans un acte mécanique, soit pour laisser son
esprit suivre sur l'Océan moins orageux qu'elle le
steamer emportant celui qu'elle ne reverrait plus,
elle reprit son canevas, ses soies, son aiguille.
Ses doigts tremblaient : ils s'assurèrent. Son visage redevint tranquille. Son attention s'absorba
dans les points menus qui dessinent lentement
des feuilles ou des fleurs. Elle semblait la plus
paisible des travailleuses, quand reparut Jenny,
apportant une carte.

— Madame recevra-t-elle ?... J'ai dit que je ne
savais pas si Madame...

Irène avait à peine réprimé un geste d'humeur. Son visage s'éclaira en lisant sur la carte le nom de Mme Michel Teissier.

— Oui, certainement, je reçois !...

Entre les êtres qui ont traversé des émotions voisines ou souffert de maux à peu près pareils, il existe souvent une latente sympathie que le hasard d'une rencontre ou d'une parole peut rendre efficace. Qui n'a jamais rencontré, au bord des chemins de la vie, quelque inconnu dont il devine la détresse pour l'avoir éprouvée ? Qui n'a voulu porter à quelque blessé le baume d'une pitié renseignée par d'amères expériences ? et combien souvent de tels sentiments sont arrêtés dans leur essor par la prudence ou la méfiance, par la crainte de se tromper ou par celle de n'être pas compris ! Mme Teissier n'échangeait avec Irène que des visites espacées, et la connaissait peu ; mais elle l'avait entendu quelquefois nommer en même temps que Lysel, dans ces conversations averties où la finesse des Parisiennes évente tous les secrets ; elle l'avait involontairement observée, le soir de *Wallenrod*, pendant que des regards curieux la cherchaient à côté du vaincu ; elle avait lu dans un journal du matin un « écho » mentionnant le départ de Lysel. C'est pourquoi elle venait, poussée par un de ces mouvements de cœur qui ne trompent pas. Elle venait, avec la douleur de sa vie d'amour et de déceptions, avec le regret de ses vaines audaces, avec son âme dévastée, puis

ennoblie, par le jeu cruel des expiations. Elle
venait, incertaine de ce qu'elle dirait, pressentant
en Mme Jaffé une de ces fières natures qui n'ont
aucun besoin de se répandre en confidences, sûre
pourtant que sa visite serait salutaire. Pas un
mot n'en révéla la vraie intention. Mais par delà
les choses indifférentes dont causèrent les deux
femmes, chacune entendit l'autre penser et souffrir.
Quand elle se leva pour partir, Blanche savait
que le même orage, qui avait bouleversé sa jeunesse,
grondait dans ce cœur si proche ; Irène, en la
reconduisant, connaissait la blessure que voilait
la sérénité du visage. Sur le seuil, la main dans
la main, elles échangèrent un regard plus éloquent
que les paroles. Celui d'Irène disait : « Vous n'êtes
donc pas heureuse, vous non plus, après ce que
vous avez fait pour *lui*, ce qu'*il* a fait pour vous !... »
— « Ne cherchez pas le bonheur, répondait celui
de Blanche : la vie étant ce qu'elle est, vous ne
pourriez ni le donner ni le recevoir. »

Et c'était peut-être à cette nouvelle amie autant qu'à elle-même que songeait Irène, quand
ses yeux se mouillèrent encore en se posant sur
le palmier, vert et tranquille dans son cache-pot
enrubanné : dernier gage d'amour qui survivrait
à l'immolation de l'amour...

II

AU LOIN

PAR les journaux qu'apporte un pilote à l'entrée
du port, Lysel apprit la mort de Hugo Meyer. Le
déchirement était dès longtemps accompli, la
nouvelle prévue : elle n'en assombrit pas moins
ces heures du débarquement, où l'on éprouve à
retrouver la terre ferme des sensations de convalescent. Peu de jours plus tard, la première
lettre d'Irène lui apporta les détails de cette mort,
le plaignit de sa perte : une fois de plus, à travers
la distance, il sentit glisser sur lui, comme un
souffle, cette fidèle sympathie, sur laquelle il
comptait dans toutes ses détresses. La lettre sui-
vante revint encore longuement sur l'ami perdu :
souvenirs de quelques rencontres, impressions de
belles choses qui finissent, de la vie qui s'attriste
en avançant. Puis il y eut une interruption. Vers
le milieu de décembre, arriva, sans envoi d'auteur, le nouvel ouvrage de M. Jaffé, l'*Essai sur
les fondements de la morale sociale*. Ce court billet
d'Irène l'accompagnait :

« Lisez ce livre, mon ami, je crois qu'il vous étonnera. On ne connaît jamais ceux qu'on voit chaque jour : il y a en eux des profondeurs qu'on peut côtoyer toute la vie sans en rien voir, comme ces précipices pleins d'ombre qu'un sentier longe à quelques mètres du bord. Un rayon de lumière les frappe tout à coup : le promeneur est surpris de ce qui se cache dans l'abîme ; pour peu que les jeux des brouillards et de la lumière soient propices à ce prestige, il y découvre sa propre image si fantastiquement allongée qu'il la reconnaît à peine ou qu'il en a peur. Vous rappelez-vous que nous avons eu ce spectacle, dans une de nos courses autour de la Dent du Midi ? Vous rappelez-vous notre émotion, presque notre effroi, à reconnaître ainsi, loin au-dessous de nous, nos deux fantômes dans un halo ? J'ai retrouvé aujourd'hui la sensation singulière : j'en suis plus effrayée que lorsque j'étais auprès de vous, et que, malgré mon vertige, je voulais me pencher pour mieux voir. »

Lysel aimait peu les ouvrages abstraits : il ouvrit pourtant le volume, en lut quelques pages, se fatigua. Un seul fragment retint son attention, dans le chapitre intitulé *la Famille*, par la surprise qu'il en eut : Jaffé, dont il croyait l'esprit révolutionnaire, y démontrait que les principes de la morale usuelle, quelque arbitraires qu'ils nous paraissent, reposent sur une connaissance minutieuse de l'enchaînement des causes et des

effets dans la vie des individus et dans celle de
l'espèce. Mais il était à ce moment-là trop occupé
pour s'attarder à cette impression. « M. Jaffé
deviendrait-il conservateur ? » se demanda-t-il ;
et il ferma le livre, qu'il oublia. Deux semaines
passèrent sans nouvelles ; puis une lettre arriva
de Vérone, racontant le départ de Paris, donnant
le plan du voyage commencé. Il écrivit trois fois
sans rien recevoir. Enfin, une courte lettre, datée
de Sienne, lui apporta des réflexions sur la sincérité des anciens peintres toscans ; en post-scrip-
tum, cette phrase énigmatique répondait à ses
plaintes :

« Je vous mesure la correspondance, dites-
vous ? C'est peut-être pour vous accoutumer à
moins compter sur moi. »

Cette phrase l'inquiéta : il y reconnut une expression qu'Irène avait employée dans leur entretien d'Umspunnen ; il lui sembla que, pendant
que son corps agissant et insensible roulait par le
monde, sa véritable vie se poursuivait de l'autre
côté de l'Océan, indépendante de sa volonté, sou-
mise à des accidents qui la modifiaient, la dé-
routaient, la transformaient sans qu'il y pût rien.
Du reste, la fatigue, les déplacements, les concerts
l'empêchaient de suivre aucune réflexion. S'il recevait peu de lettres, celles qu'il écrivait, plus
fréquentes, étaient brèves, sans intimité : quel-

ques lignes crayonnées en hâte, sur du papier à
en-tête d'un hôtel ou d'un club, dans un hall tapageur ou dans un salon de lecture enfumé. « Cinq
mois rayés de notre existence ! » se disait-il parfois.
Un wagon-salon l'emportait de ville en ville,
comme un phonographe. Il y couchait plus souvent
qu'à l'hôtel, remisé dans un coin de gare, parmi les
sifflets et la fumée. Arrivé parfois dans tel endroit
un quart d'heure avant son concert, il en repartait
une heure après, accaparé, absorbé, anéanti par les
exigences d'une de ces « tournées » qui ravalent la
vie des artistes modernes et leur apportent plus de
dégoût encore que d'argent.

La « tournée » de Lysel appartenait à deux im-
presarios, Max et Blackmann : pendant plusieurs
semaines, en dehors du défilé d'inconnus qui venaient le saluer après chaque concert, il ne vit à
peu près qu'eux et son pianiste accompagnateur.

Celui-ci, — un jeune Saxon nommé Weisskind,
aux cheveux pâles, au teint d'enfant en nourrice,
— ne songeait qu'à « décrocher » en Amérique une
situation qui lui permît d'y faire venir sa fiancée
de Dresde ou de Leipzig : toutes ses conversations aboutissaient à l'aveu de ce rêve, et dès qu'il
débarquait dans une ville nouvelle, il y flairait le
vent. Bon exécutant d'ailleurs, aux doigts infa-
tigables, il vouait aux maîtres une ferveur d'ascète
et partageait les fureurs de Lysel quand il fallait
inscrire au programme quelque niaiserie à succès.
— Max, avec qui les deux artistes avaient traité,

était un ancien agent électoral devenu ensuite
entrepreneur de publicité, puis de spectacles :
après avoir travaillé jadis pour un candidat à la
Présidence, promis en son nom la lune aux nègres
de la Louisiane, traîné de force des passants à
l'urne sacrée, il avait lancé successivement un
savon, des pilules contre l'obésité, un rasoir mécanique, plusieurs machines agricoles ; maintenant,
il montait des panoramas, organisait des exposi-
tions, des concerts, des récitals ou des conférences,
promenant de ville en ville des artistes, des ora-
teurs, des monstres, des tableaux, des animaux
savants. Avec sa charpente de colosse, ses épaules
carrées, ses mains énormes aux poignets cerclés
d'or, sa figure rasée et lippue, sa tignasse noire,
luisante de cosmétique, c'était un gaillard brutal
et cynique, rompu aux ruses épaisses de son métier.
Autour de ses « sujets », hommes ou bêtes, il
montait un de ces « battages » qui, dans l'autre
hémisphère, disqualifieraient jusqu'à des chiens
savants, mais qui portent sur ce public pressé,
naïf, aux gros appétits. De récents succès lui donnaient une confiance illimitée en son adresse : il
rêvait un *trust de l'art*, où il eût accaparé le talent
comme d'autres le fer ou le sucre. Il avait revendu
à Blackmann la « tournée » de Lysel, en se réser-
vant une part sur les recettes. Comme il suspectait
la loyauté de cet associé, — blond, rouge, apoplec-
tique, le menton pourvu d'une barbiche de chèvre,
dévot et buveur d'eau, — il l'accompagnait ou

le surprenait partout, tombant sur la caisse aux
moments les plus imprévus, et criant comme un
sourd en faisant ses comptes devant la face impassible de l'autre. Ces deux négriers s'accordaient
pour traiter Lysel comme une boîte à musique qui,
une fois remontée, dévide ses morceaux et les recommence, jusqu'à ce que son cylindre se détraque
ou que sautent en trop grand nombre les pointes
de métal qui marquent les notes. Ils connaissaient
juste assez les maîtres pour exclure des program-
mes certaines œuvres qui ennuyaient le public :
ainsi, le *concerto* de Beethoven et celui de Brahms
étaient nommément interdits par une clause du
traité. En revanche, Lysel avait dû émailler son
répertoire d'un nombre suffisant de barcarolles,
de berceuses, de sérénades, de pages d'album et
autres balivernes, et aussi de morceaux de virtuo-
sité, tels que le *Trille du diable*, la *Polonaise en ré*
de Vieuxtemps ou le *Rondo capriccioso* de Saint-
Saëns ; on ne lui concédait que deux de ses propres
compositions par concert ; ce fut à grand'peine
qu'il sauva quelques-uns de ses ouvrages préférés :
des suites de Bach, des sonates de Mozart, de
Beethoven, ou de ces vieux maîtres oubliés comme
Biber, Leclair, Tartini, Porpora, qui écrivaient au
temps même où les illustres luthiers de Venise, de
Crémone ou de Brescia construisaient leurs plus
nobles instruments ; et parmi les œuvres modernes,
la puissante *Sonate en la*, de Brahms, et ce rutilant
concerto de Jaques-Dalcroze, qu'Alfred Marteau a

si superbement créé. Il les exécuta dans ces vastes
salles où l'Europe envoie la fleur de ses artistes,
devant un public insatiable, frémissant de bonne
volonté, curieux, ignorant, affamé, impression-
nable : à la Carnegie Hall, de New-York, sonore,
sobrement décorée, où se rencontrent les élégantes
habillées par les faiseurs parisiens ; à l'Auditorium,
de Chicago, où une foule plus fruste, bruyante,
vibrante, s'étage sur trois immenses amphithéâ-
tres ; à la Music Hall, de Boston, où il eut la surprise de trouver un orchestre parfait, et joua devant une société plus raffinée, un peu pédante, qui
l'écouta dans un silence quasi religieux, intelligent
et froid. Tantôt il jouait seul, avec Weisskind,
tantôt dans un concert classique ou philharmoni-
que, tantôt en compagnie d'artistes de passage :
au gré de Blackmann, qui ne le consultait pas.
Soutenu par cet air excitant qui semble décupler
les forces humaines, il brava la fatigue pendant
près de cinq mois. L'ennui, le spleen, le heimweh,
la solitude, et, pire que tout, l'insupportable compagnie de ses deux maîtres, l'excédaient en ses
rares heures de loisir, pendant les mornes dimanches
où le repos de ce peuple laborieux paraît plus
lourd que le travail.

Il allait toujours, alerte, valide, infatigable.
Dans la dernière quinzaine seulement, il s'aperçut
d'une certaine faiblesse de la main gauche, qui
le préoccupa : tantôt la raideur du poignet gênait
les mouvements des doigts ; ou c'était une dou-

leur lancinante qui rayonnait dans la main ; ou
les phalanges craquaient, comme désarticulées ;
ou le bras s'ouvrait mal et s'ankylosait, comme
un compas rouillé. L'idée de la dyskinésie l'effleura.
Il se rappela la vieillesse de Vieuxtemps. Mais
l'effort et l'urgence chassaient la douleur : elle se
dissipait, revenait, repartait encore, comme un
bruit importun dont l'oreille ne parvient pas à se
délivrer tout à fait, comme un de ces soucis légers
et persistants qui flottent au gré des incidents
journaliers sans se fixer dans l'esprit ni le quitter
tout à fait. A mesure que le terme approchait,
cette obsession se noyait dans l'immense désir du
retour, qui croissait avec la fuite des heures : il
repoussa rageusement les propositions de Max qui,
jaloux des sacrifices de Blackmann, méditait de
l'exploiter encore, et tout seul :

— Ah ! non, non !... Pas pour tout l'or du Klon-
dyke !...

Ses forces défaillaient quand il donna son cen-
tième et dernier concert à la Carnegie Hall, la
veille du départ. Il y joua la *Didon abandonnée*
de Tartini, la grande chacone de Bach, un magnifique *Aria* de Tenaglia, une courte et pimpante
sonate de Guignon, une *Rhapsodie* de Dvorak et
deux de ses *Mazurkas héroïques :* il voguait déjà
vers l'Europe, ne tenait plus au sol américain que
par l'attente d'une dernière lettre d'Irène et d'un
câblogramme qui lui mettrait l'esprit en repos
pour la traversée.

7

Le concert fut suivi d'un banquet d'adieu que
lui offrit, au Metropolitan Club, un des amateurs
fastueux qui l'avaient acclamé, M. H. L. Beackock.
Des artistes, des gens du monde, des diplomates,
des journalistes y étaient conviés. Il en vint de
Boston et de Philadelphie, de Washington et de
Chicago : ces hommes d'acier ne connaissent pas
d'obstacles ; la distance est celui qui les arrête
le moins ; ils la franchissent aussi volontiers pour
un plaisir que pour une affaire.

Ce club est l'un des plus beaux de l'Amérique.
Avec ses puissantes dimensions, qui rappellent
celles de certains édifices romains, le grave équilibre de ses proportions, ses sobres ornements,
l'élégante majesté de ses marbres, il ferait peut-
être des ruines aussi suggestives que celles d'un
temple antique. Intact, solide, animé, fleuri, il
n'est qu'une belle construction de plus, dans le
pays moderne où il s'en fait le plus.

Débarrassé par des nègres adroits de son pardessus, de son chapeau, de sa canne, Lysel traversa
de vastes salles où des messieurs rasés, enfoncés
dans d'énormes fauteuils, lisaient d'interminables
gazettes en s'enveloppant dans la fumée bleue de
leurs havanes : dernière vision pour lui de ce monde
composite, somptueux et splénétique, qui cherche,
dans les raffinements du bien-être, la compensation de son incessante dépense d'énergie. « Dans
huit jours, je reverrai des Européens ! » songea-t-il
en notant au passage ces figures et ces attitudes.

Et sa malice souligna des traits qui offensaient
son goût : le laisser-aller des poses, l'égoïsme
indifférent des regards, la dureté ou parfois la
vulgarité des physionomies. « Jamais nous ne nous
entendrons tout à fait avec ces gens-là », se dit-il
encore. Mais dans le salon où l'attendait son hôte,
entouré d'un état-major de faux-cols éclatants,
de petits nœuds de cravates à bouts carrés, d'habits
irréprochables ornés de ces emblèmes qui rempla-
cent les décorations aux boutonnières, il eut la
surprise, il eut l'émotion de distinguer, parmi
des fleurs et des couronnes, un écusson où le drapeau des États-Unis se croisait avec celui de la
Pologne.

A voir ainsi le drapeau vaincu de la nation dé-
truite fraterniser avec celui du peuple glorieux
et fort, à voir l'aigle blanc planer dans le ciel
constellé de la jeune République, Lysel éprouva
un tel élan de reconnaissance, que les impressions
pénibles de son voyage se dissipèrent aussitôt.
A l'heure même où la vieille Europe le rappelait
plus fort que jamais de toutes ses voix si chères,
il sentit intensément ce qu'il y a de grand, de noble
et de généreux dans le monde différent qui l'avait
parfois irrité, — qu'il se prit à aimer tout à coup.
Ces hommes âpres à la lutte, rudes à la curée,
tenaces dans leurs intérêts, mais dévoués jusqu'à
la moelle au corps social dont ils sont les nerfs
et les muscles, savent ce que vaut une patrie : leur
instinct national venait de trouver le plus sûr

moyen d'honorer l'hôte qui n'en avait plus. Sans
doute, leurs esprits restés frustes n'avaient pas
toujours saisi les subtilités de son art ; mais leurs
cœurs avaient deviné la secrète aspiration du
maître de *Wallenrod*, des *Mazurkas héroïques*, de
la *Prière après la défaite*. Aussi sa main serrait-elle
avec une chaleur inaccoutumée celles de tous ces
convives parmi lesquels il reconnut à peine quelques figures. Qu'importait qu'elles fussent étran-
gères ? Il voyait planer au-dessus d'elles l'aigle
abandonné, qui n'a plus un palais, plus un bastion,
plus un navire, et subsiste pourtant dans quelques cœurs fidèles.

M. Beackock lui offrit le bras, à la mode américaine, pour passer à table. Les invités suivirent
par couples, avec ce sérieux que les citoyens de
l'Union apportent à leurs moindres actes, dès
qu'ils revêtent un caractère officiel ou public. Un
orchestre caché jouait la marche des chevaliers,
de *Wallenrod*. Et la salle à manger fut un émer-
veillement. Des guirlandes de fleurs japonaises,
aux tons éclatants, montaient jusqu'au plafond,
festonnaient autour des lustres ; sur la table, des
amoncellements de violettes de Parme s'écrou-
laient autour des corbeilles de ces roses que les
horticulteurs de la Nouvelle-Amérique appellent
des *beauties*. Le menu promettait les plus délicates
friandises de la cuisine américaine, — huîtres
Blue-Point, tortues vert clair, alose sur planche,
thérapin à la Maryland, canards *canvass*, —

que devaient arroser les vins des plus glorieuses
années du Rhin, de la Gironde et de la Bourgogne,
les plus illustres cuvées de la Champagne. Mais
quand Lysel jeta les yeux sur le vélin, il n'y vit
que le double emblème, les deux drapeaux amicale-
ment croisés.

L'émotion qu'il en montra donna le ton à ces
toasts où excellent les Américains. Pour un soir,
l'aigle blanc reprit son vol : dans ce pays où des
races disparates se fondent en une race nouvelle,
parmi ce peuple conquérant que l'âpre ambition
personnelle ne distrait jamais de l'idéal national,
Lysel eut l'illusion d'avoir une patrie. Pour la première fois, il sentit que son effort affirmait la persistance de cette âme éparse dans tous les pays, et
il en aima davantage son art, puisque cet art pouvait la maintenir et la défendre. Mille souvenirs
se levaient dans sa mémoire : il revécut ses soirées
d'enfance, sous la lampe familiale, pendant la
révolte dont son père suivait en frémissant les
convulsions ; il entendit vibrer l'écho des désastres
dont les journaux apportaient des récits incertains ; il maudit une fois de plus les noms des ter-
ribles vainqueurs qui marchaient dans le sang et
l'incendie ; il revit certaines figures depuis longtemps oubliées, qui surgirent autour du drapeau :
ce lieutenant-colonel X..., si râpé, si soigneux,
avec ses impériales teintes, sa longue redingote
aux coutures frottées d'encre pour en dissimuler
l'usure, son pantalon à la zouave, ses irrépro-

chables souliers vernis, sa démarche articulée de
vieux beau cachant ses rhumatismes : un héros,
cependant, vaincu en Hongrie, aux côtés de Bem,
après l'avoir été en Pologne, sous Dembinski ; —
cette comtesse B..., ridée comme une pomme trop
longtemps conservée, toujours somnolente dans
ses robes démodées : une ancienne amazone qui
avait tenu la campagne avec son mari, tué d'une
balle au front à côté d'elle, et fait le coup de feu
contre les cosaques ; — ce prince V..., obèse à
présent et gardant de hautes allures sous le bagout
de courtier d'assurances qu'il était devenu : un
héros aussi, resté jadis six heures à cheval avec
une balle dans l'épaule ; et d'autres encore, des
héros toujours, épaves des dernières déroutes,
déchus dans la lutte misérable contre le besoin,
restés fiers quand même de leurs anciens exploits,
gardant au fond d'eux comme une flamme de
courage et de foi. Aux anniversaires solennels,
ils trinquaient avec du champagne d'épiciers, en
jurant de reconstituer leur pays. Leurs fils repren-
draient-ils la tâche ? Lysel, ne connaissant guère
ses jeunes compatriotes, l'ignorait ; mais son cœur
s'exaltait au milieu de ces hommes qui parlaient
si fièrement de leur patrie.

Il ne possédait à aucun degré ce don d'impro-
visation que la vie publique développe dans les
démocraties : pourtant, quand M. Beackock et
trois ou quatre des convives l'eurent éloquemment
ou spirituellement congratulé, il dut se lever pour

répondre. Très pâle, plus timide qu'un écolier, il
réussit à peine à balbutier quelques mots de remer-
ciements. Puis la pensée qu'il avait sa manière à
lui de s'exprimer, lui rendit courage :

— J'aime mieux répondre à tant de cordialité
selon mes moyens et dans ma langue, acheva-t-il
en appelant du regard Weisskind au piano.

Et il prit son Montagnana.

Un sentiment de modestie l'empêcha de jouer
de sa propre musique. Il joua un morceau peu
connu, qu'il aimait et qui partout avait reçu bon
accueil : cette belle *Sonate en ut mineur* de Biber,
si riche, variée, colorée, romanesque, où ce pré-
curseur du vieux Bach semble presque un con-
temporain de Schumann et de Chopin. Il exécuta
avec une ampleur superbe le court *largo* du début,
dont la gravité hiératique surprit les auditeurs en
train de vider leurs dernières coupes de champagne ;
puis il enleva la *passacaille*, d'une verve tantôt pittoresque, tantôt émouvante, avec le chant plaintif
de ses variations sur deux cordes. Il s'abandonnait
à l'entraînement du rythme tour à tour sonore
ou langoureux, au charme des beaux sons que
dégageait son splendide instrument, chef-d'œuvre
du vieux luthier trop longtemps méconnu. Un
accent de l'héroïsme éveillé par la vue de l'aigle
blanc, se mêlait à la marche grave. Ses doigts,
libres, rapides, vivants, couraient avec une mer-
veilleuse agilité sur les cordes, dont ils animaient
et soutenaient les plus furtives vibrations. Il lança

avec une irrésistible expression la phrase pathé
tique, en *adagio*, qui, délivrée de l'accompagne
ment, éclate à la fin de la *passacaille*, comme une
plainte ardente, comme un chant nostalgique à
donner le frisson. Puis, comme il attaquait les
vocalises qui la suivent, son index se raidit brusquement, resta suspendu, paralysé, tandis que
sous l'archet lancé, le violon rendait un son grin-
çant et faux. Il pâlit, balbutia :

— Je... ne peux plus !...

Ses yeux hagards firent le tour de la table. On
crut un instant qu'il allait se remettre en position.
Mais il se laissa tomber sur sa chaise, presque
hors de sens. Les convives étaient debout, l'entouraient :

— Qu'y a-t-il ?... Vous avez mal ?... Qu'est-ce
donc ?...

Lysel n'en pouvait plus douter : c'était la
crampe, — le mal terrible qui arrache à l'artiste
son instrument et fait de lui un bois aphone, une
corde brisée, une voix éteinte. Il contemplait sa
pauvre main, toute pareille à elle-même en appa-
rence, qui n'était plus qu'un membre stérile,
tiraillé par la névralgie ; il l'ouvrait, la refermait,
remuait les doigts, suivant la trace de la douleur
qui partait de l'extrémité de l'index, montait au
poignet, rayonnait dans le métacarpe et dans
l'avant-bras. Incapable de dominer sa détresse, il
se décomposait devant cette table fastueuse, ces
guirlandes de fleurs rares, ces surtouts d'argent,

ces vins d'or et de rubis qui miroitaient dans le
cristal des verres. Autour de lui, quelques-uns
murmuraient :

— Il se frappe l'imagination : ce n'est qu'une
crampe.

Weisskind corrigea :

— *La* crampe...

Lui seul comprenait, connaissant le danger
terrible qui plane sur tous les artistes. Les autres
s'étonnaient plutôt de voir Lysel si peu maître de
lui ; et il y avait un singulier contraste entre ces
robustes hommes, fils vigoureux d'une terre nouvelle, trempés comme l'acier pour la défense et
pour l'attaque, et ce malheureux avec sa faiblesse
d'enfant, ses nerfs de femme, qui s'effondrait en
les regardant de ses yeux suppliants, où montaient
des larmes. On avait découvert un médecin, dans
une des salles du club. Il examina le doigt dur et
crispé, la main, le bras, frappa sur les os, pressa
les muscles, fit jouer les articulations, et donna
l'adresse d'un spécialiste, en disant avec tranquillité :

— Peut-être que cela passera...

Des voix affirmaient autour de lui :

— Oui, sûrement, certainement, cela passera !

Lysel s'écria, d'un ton désespéré :

— Non, non, cela ne passera pas !...

Il venait de revoir, comme dans une vision qui
s'efface, la montagne blanche qu'enveloppaient
les nuages et la nuit ; en même temps, les paroles

que lui avait arrachées ce spectacle, et que la voix tant aimée d'Irène avait répétées sur un ton prophétique, bourdonnèrent dans ses oreilles ; et ses voisins l'entendirent murmurer, en passant la main sur son front :

— L'ombre s'étend... L'ombre s'étend sur toutes choses !...

III

LA LETTRE D'IRÈNE

CE fut Max qui, le lendemain matin, conduisit
Lysel chez le spécialiste indiqué. Mêmes questions, même examen des articulations et des
muscles. Puis le praticien proposa un traitement
électrique.

— Mais je pars tout à l'heure !

Il se rabattit sur des douches, en attendant,
recommanda surtout un repos intransigeant. Malgré les questions anxieuses de son client, il re-
fusa, impénétrable, de se prononcer sur la gravité
du mal, sa durée, ses chances de guérison.

— J'aurais mieux fait de ne consulter qu'en
Europe, dit Lysel à son compagnon dans le *car*
qui les emportait en sifflant sur les rails. Les
réticences de cet homme vont me tourmenter
pendant la traversée.

Max riait, d'un rire bon enfant qui découvrait
ses dents d'ogre, content de l'idée qui lui traver-
sait l'esprit, et qu'il ne se fit aucun scrupule d'exprimer :

— Si cet accident vous était arrivé deux mois

plus tôt, quelle affaire, hein ?... Vous figurez-vous
ça ?... Quelle lessive, pour nous deux !

Lysel, fâché, se récria :

— Pour moi, c'est à peu près la même chose !...
Songez que je ne pourrai peut-être plus jamais
jouer, plus jamais !... Si c'est la crampe, elle est
incurable. Vieuxtemps...

Il s'interrompit à ce nom : Vieuxtemps était
mort paralytique. Si ces douleurs mystérieuses,
si ce brusque arrêt de quelques muscles annonçaient l'horrible mal, l'horrible fin ?...

— Sais-je même si ce n'est pas pire ? s'écria-
t-il avec désespoir.

De sa grosse main lourde, Max lui frappa sur
l'épaule :

— Hé ! tranquillisez-vous, mon cher maître !
On guérit de tous les maux, quand on veut guérir.
Ces artistes sont tous les mêmes ! Ah ! je les connais, moi qui en ai tant vu ! C'est leur imagination,
qu'ils devraient soigner : elle leur fait plus de mal
que toutes les maladies ! Allez, allez, dans deux ans
nous recommencerons !

Là-dessus, pour achever de réconforter Lysel,
il se mit à raconter ses déconvenues avec certains
de ses sujets : un ténor fameux avait subitement
perdu la voix, dans l'incendie d'un hôtel à Philadelphie :

— La peur, mon cher, la peur !... Peuh !...

Une danseuse avait disparu avec un cow-boy,
à San-Francisco, au milieu d'une tournée magni-

fique. Un pianiste avait pris le typhus en débar-
quant : impossible de lui faire donner un seul
des cinquante concerts de son engagement.

— Et toutes les salles étaient retenues !

Lysel écoutait d'une oreille, ne pensant qu'à
son mal.

— Mais le pire qui me soit arrivé, c'est avec
Panache !... Panache, vous savez bien ?... Non ?
Vous n'avez jamais entendu parler de lui ?... Pas
possible !... Le singe-homme, ça ne vous dit rien ?...
Il a eu un pendant qui a fait son tour d'Europe,
un nommé Consul : mais Panache était plus fort !...
Il se conduisait à table comme un gentleman...
Mieux que moi, ma parole !... Si vous aviez vu sa
distinction !... Il mettait des gants, il fumait...
Il jouait du violon, lui aussi... Pas comme vous,
bien entendu ; mais pour un singe, c'était gentil...
Je l'avais payé vingt mille dollars, et il les valait...
C'était une fortune : il m'appartenait, vous comprenez !... Pas de procès, pas de dédits, pas d'histoires, rien !... Beaucoup de gens le prenaient pour
un homme. Pourtant, il n'était qu'un animal :
et comme tel, hors la loi... Admirable, hein ?...
Seulement, il est mort... La phtisie, cher monsieur !
Une maladie humaine. On l'a soigné comme vous
ou moi : il a eu les premiers médecins du pays.
Rien n'y a fait. Et je n'avais pas eu le temps de
l'assurer !... J'ai tâché de rattraper quelque chose
sur son agonie : un spectacle qui en valait un
autre, je vous en réponds !... Il fallait le voir

ramener ses couvertures sur son menton !... Si
vous aviez vu ce geste, il vous aurait tiré des
larmes !... Et ses regards !... Quels regards !...
Mais on trouvait ça trop triste : à la fin, il n'y
avait plus que moi qui venais le voir !... Et j'y
mettais du sentiment !...

Max, qui arrivait à son point d'arrêt, se leva en
ajoutant :

— Vous du moins, mon cher maître, vous
avez attendu la fin, pour avoir la crampe !...

Et, ayant serré la main de son compagnon, il
sauta du *car*, qui reprit son vol tapageur.

« Où est le temps, songeait Lysel en filant le
long de l'avenue, où est le temps où les artistes,
bonnes gens désintéressés, vivaient et mouraient
dans leur province, tenaient les orgues dans l'église
de leur baptême, à côté du cimetière qui recueillerait leurs dépouilles, produisaient dans la joie
sans songer au sort de leurs œuvres, les léguaient
insouciamment à la postérité, et surtout, igno-
raient jusqu'à l'existence des dollars qu'on récolte
en faisant concurrence aux singes savants ? Où
est le temps où ils restaient pauvres, sans autre
besoin que de répandre leur génie, sans autre
désir que d'être écoutés par quelques âmes pen-
sives ? O vieux maîtres dont on retrouve peu à peu
les ouvrages, et vous dont les noms sont perdus,
non l'effort, vous qui n'aurez pas la reconnaissance
des hommes, mais qui avez eu le travail, vous tous
dont la gloire anonyme se perd dans celle de notre

art magnifique, qui nous rendra votre candeur, votre simplicité ? Elles furent la source de votre génie : qu'eussiez-vous fait, forcés de vivre comme nous ? »

En raisonnant ainsi, il arrivait au coin de la trente-troisième rue. Il descendit et gagna l'hôtel Waldorf, où il occupait une chambre au onzième étage. La lettre d'Irène, la lettre tant attendue, venait d'arriver. Il l'ouvrit dans un grand élan de joie : c'était la dernière, enfin, celle qui ne précédait plus que de quelques jours l'heure bénie du revoir. Elle disait :

« Assise, jeudi.

« Je vous écris pour la dernière fois, mon ami. Quand ces lignes vous parviendront, vous serez à la veille de quitter le sol américain. J'ai tardé jusqu'à présent à vous dire ce qui me coûte tant à dire, — ce qui cependant doit être dit : je craignais d'ajouter une peine trop lourde à la fatigue que vos lettres trahissaient ; je tâchais de vous habituer peu à peu, par la rareté des miennes, à vous passer de moi. Mais l'heure du retour va sonner : je ne puis remettre davantage. Mon bon, mon fidèle ami, pardonnez-moi ! Je ne vous attendrai pas à Paris comme vous l'espériez, vous ne recevrez pas la dépêche que vous me demandez. Jusqu'au moment où j'écris ces lignes, nous sommes restés unis malgré la distance : quand elles passeront sous vos yeux bien-aimés, nous serons séparés par quelque chose de plus inexorable que l'espace. J'aurai quitté cette ville : je ne vous

dis pas où je serai, je vous supplie de ne pas vous
en informer. Sachez seulement que notre voyage
se prolongera longtemps encore : je ne rentrerai
que lorsque je vous supposerai plus courageux
contre le chagrin, consolé par la fuite des jours,
persuadé par la réflexion que j'agis pour notre
bien commun ; je ne rentrerai que quand je me
sentirai moi-même assez forte pour vous revoir
sans trouble, — si nous nous revoyons. J'ajoute
que tout cela a été concerté avec mon mari, dont
le concours est indispensable à mon plan de guérison. Il a beaucoup souffert par notre faute ; je
ne m'en serais jamais douté, tant son visage et
sa parole savent garder les secrets de son cœur,
si nous n'étions arrivés ensemble, lui et moi, par
des voies différentes, à la même conclusion : l'urgence de changer notre vie, pour la rétablir dans
la vérité. Vous connaissez mes raisons ; à quoi bon
vous les répéter ? vous n'avez sûrement rien oublié
de nos entretiens. Vous y pensez avec douleur,
j'en suis sûre : guidé par votre souffrance même,
vous reconnaîtrez l'impérieuse, l'invincible nécessité des motifs auxquels j'obéis. Ce sera pour
vous, comme ce fut pour moi, le commencement de
la consolation : rien n'apaise nos révoltes comme
le sentiment de l'*inévitable ;* notre égoïste volonté
s'y défend en capitulant.

« En lisant ces lignes, mon ami, je sais que
vous m'accablez de reproches. Vous me trouvez
lâche. Vous pensez à tout ce que nous avions si

durement conquis sur nous-mêmes et sur la vie, à notre énergie pour braver les circonstances adverses, aux sacrifices intimes dont nous avons payé notre affection. Vous me taxez d'ingratitude, ne pouvant m'accuser d'inconstance. Vous me reprochez de mal récompenser votre longue fidélité, votre tendresse loyale, l'amour profond que vous m'avez voué pendant tant d'années. Ne me condamnez pas ! J'ai longtemps, trop longtemps résisté à la poussée intérieure qui m'emporte à la fin. Si j'ai traversé une période d'ivresse, cette période où les regards troublés ne distinguent plus la réalité des choses, il y a déjà longtemps qu'avec une douloureuse clarté, je nous vois flotter tous les deux dans l'erreur et le mensonge : l'erreur, oui, mon ami, l'erreur de croire qu'on peut impunément substituer la règle qu'on se fait soi-même de son amour à celle où l'expérience des siècles a emprisonné l'amour ; et le mensonge, ou plutôt la longue chaîne de mensonges dont cette erreur initiale multiplie et soude les anneaux. Je ne puis plus me leurrer des spécieux arguments que le cœur invoque pour justifier ses faiblesses : nul sophisme n'a plus le pouvoir de me tromper. C'est pourquoi je vous dis adieu. Cette vérité, que vous n'aimez pas assez, m'inonde de ses rayons : aucune dialectique ne saurait plus l'obscurcir ni la réfuter. Ses ordres éclatent à mon oreille : mesurez leur puissance au chagrin que je vous cause pour leur obéir !

« Ne croyez pas toutefois, mon ami, que je renie rien de notre passé. Je n'ai pas un remords : nous n'avons pas à en avoir. Je pense avec une douceur infinie à l'entente de nos deux cœurs si séparés et si proches, si bien faits pour n'être qu'un, qui ne cesseront d'être un que parce que j'écris ces lignes et que vous les lirez. Ce fut ainsi, et c'était bien. Si le passé était à revivre, je n'y voudrais pas changer un seul trait. Oui, j'ai la fierté de penser que je ne voudrais rien changer à *notre* vie. Quand on a eu ce que nous nous sommes donné l'un à l'autre à travers tant d'obstacles, on ne voit derrière soi que de la lumière et de la beauté. Mais, pour rester dans ce chemin, il faut la force de la jeunesse, son irréflexion. J'approche de l'âge où une femme n'est plus que mère, où je verrai ma fille commencer sa vie d'amour. Ah ! je sais bien ce que je lui souhaite ! Et je suis à celui où l'on a soif de lumière et d'harmonie : j'entends des dissonances qui échappaient jadis à mon oreille, je distingue des ombres que mes yeux ne voyaient pas. C'est pourquoi je vous écris ceci et disparais pour un temps de votre vie.

« Pour un temps !... Je désire que nous nous revoyions un jour, je sais que vous le voudrez aussi. Quand ce jour viendra, le temps aura fait son œuvre : sa clémence habituelle ne nous manquera pas. Vous aurez compris : votre jugement sera solide et sûr. J'ai confiance en votre équité : après la première douleur, après la première ré-

volte, elle vous fera reconnaître *qu'il le fallait, que
j'avais raison*. Alors, la métamorphose sera complète, nous serons devenus l'un et l'autre ce que
nous devons devenir, nos volontés — *notre*
volonté aura conjuré l'erreur de *notre* cœur. Il
n'y aura plus entre nous que l'exacte dose d'amitié
que nous permet la destinée. Je n'enlèverai aux
miens, pour vous, aucune parcelle de ce que je
leur dois. Vous ne me donnerez rien de plus que ce
que je puis recevoir. Il n'y aura pas un angle de
notre cœur que nous soyons obligés de cacher :
et j'ai tant de honte d'en avoir dû cacher le plus
beau, et j'aspire avec tant de force à cette heure
où il ne sera plus qu'un cristal transparent ! Ah !
mon bon, mon cher ami, tâchez d'aimer assez la
vérité pour vous réjouir de l'avoir reconquise. Là
sera votre consolation !

« La blessure que je vous fais n'a du moins rien
d'empoisonné. Il y a tant d'amours qui finissent
dans la jalousie, la rancune, la haine ou le remords !
Rien de semblable entre nous : vous savez qu'aucun
souvenir n'effacera jamais le vôtre ; je sais que nulle
autre ne sera jamais pour vous ce que j'ai été.
Notre vie de cœur, ou du moins notre vie d'amour,
finit ici. J'ai rempli toute la vôtre, vous avez remplit toute la mienne. Mon seul regret est de durer
plus qu'elle. J'ai souvent espéré que la mort se
chargerait de l'interrompre à l'heure opportune,
et j'aurais mieux aimé cela. Mais on ne peut pas
compter sur la mort : c'est pourquoi j'accomplis

cette tâche. Mon ami, pardonnez à la main qui vous frappe ! Et sentez à travers l'espace la tendresse infinie que je mets dans mon adieu ! »

Lysel lut et relut ces lignes, sans en comprendre tout le sens, sans en accepter l'arrêt. Mille projets contradictoires se bousculaient dans son esprit. Il maudit la distance qui l'empêchait de courir sur les traces d'Irène, — et il aurait manqué l'heure du départ si Weisskind n'était venu le chercher pour le conduire au port. Le pianiste restait en Amérique, ayant trouvé une place dans un conservatoire de l'Ouest. Il était heureux : sa fiancée arrivait par un prochain bateau. Il fit un affreux calembour :

— Je vous « accompagne » pour la dernière fois !

Lysel n'en sourit même pas, et le suivit sans l'entendre, sans lui répondre. Les formalités du départ s'accomplirent mécaniquement. Bientôt, il vit s'éloigner la rive américaine, formidable et splendide.

C'était la fin d'un jour d'avril. Dans la rude lumière du printemps hâtif, qu'un rapide crépuscule éteindrait bientôt, presque d'un seul coup, d'énormes bâtisses dressaient leurs carcasses de fer encore dégarnies, ou leurs vingt-cinq étages dont les vitres s'allumaient aux rayons du soleil oblique ; des rues enchevêtrées, d'aspect étroit, fuyaient vers le centre invisible, qui déversait

sur le port, par ces minces canaux, une foule toujours plus compacte. La fantastique armature du
pont de Brooklyn, où couraient dans la fièvre des
myriades de points noirs, les formidables entasse-
ments des docks criblés de ballots, de machines,
d'objets déformés par la distance et méconnais-
sables, la forêt des cheminées, des mâts aux voiles
pliées pour l'escale ou gonflées pour le départ,
les pavillons agitant dans l'air les couleurs des
nations, toute cette œuvre humaine multiforme,
prodigieuse, féerique, mêlée aux flots de la mer
bleue, aux vagues, aux nuages, aux lignes loin-
taines des collines ou des dunes, entourant la
large bouche de l'Hudson ou se perdant au loin
vers l'infini caché de la ville, donnait au paysage,
à mesure qu'il s'éloignait, un aspect titanesque,
tragique et déchiqueté : comme si ces construc-
tions inégales, dont on ne distingua bientôt plus
que la ligne irrégulière et les ombres fuyantes,
n'étaient déjà que les vestiges abandonnés d'un
monde détruit. Cependant, des acclamations écla-
tèrent, saluant au passage la Liberté colossale
qui tend à l'Europe sa torche illusoire. Elles
arrachèrent Lysel à sa morne contemplation. La
Liberté ! que fait-elle donc, dans un monde où
le cœur enchaîné meurt ou se vide sans avoir
brûlé de toute sa flamme ?...

IV

LA LETTRE DE LYSEL

« JE crayonne ces lignes dans ma cabine, Irène. Les lirez-vous jamais ? Je ne les écris pas pour discuter votre lettre, ni pour m'en plaindre : à quoi bon ? L'on ne mesure les obstacles à son amour que lorsqu'il est affaibli : le vôtre doit l'être, puisqu'il capitule devant la vie ; le mien n'a rien perdu de sa force : il serait prêt à tout braver. J'écris pour rester auprès de vous, malgré vous, pour que vous sentiez ma pensée, dont vous ne voulez pas, dans les lieux inconnus où vous la fuyez, pour vous confier ma tristesse comme autre-fois quand vous m'écoutiez, pour échapper à mon éternelle solitude : cette solitude d'où votre ten-dresse m'avait tiré, où votre volonté me replonge. Et je vous écris, après avoir erré jusqu'à la fin du jour parmi les passagers.

« Sont-ils réels ? Je ne sais pas. Il me semble qu'il n'y a que des fantômes autour de moi, comme si la vie s'était retirée de tous les êtres depuis qu'il n'y a plus d'amour dans votre cœur !

« Au moment où la rive américaine achevait

de s'effacer à l'horizon des flots apaisés, je me suis
entendu appeler par mon nom :

« — Monsieur Lysel, me reconnaissez-vous ?

« C'était une jeune fille. Je ne me souvenais pas
de l'avoir jamais vue. Elle me dit qu'elle s'appelait Maud Weddinghouse, et m'avait rencontré à
Baltimore, dans une maison luxueuse, hospitalière
aux artistes. Elle est très jolie. Ses beaux yeux
ajoutaient : « Comment peut-on m'oublier ? » Il
paraît que, ce soir-là, j'avais joué ma chère sonate
de Biber. Je ne m'en souvenais pas davantage.
Elle voulut me présenter à sa famille. Je me lais-
sai faire. Ils sont là toute une tribu, qui se rend
gaiement en Europe : mère, oncle, sœurs, frères,
cousins, je ne sais combien. Ils rient, babillent,
gazouillent, plaisantent et jouent, entre eux ou avec
des compatriotes, plus folâtres que ces marsouins
qui suivent parfois les vaisseaux. L'oncle, le colonel
Fryar, est un ancien aide de camp du général Lee.
Il a une jeune femme très belle, très gâtée, élégante,
indolente, langoureuse comme une créole. (Elle
est de la Nouvelle-Orléans.) Ils m'ont assis à leur
table, entre elle et miss Maud. Je n'ai pas entendu
la moitié de ce qu'on me disait. Je répondais à
peine. Ils ont dû me trouver sauvage et grossier.
Pourtant, après le dîner, on m'a conduit dans le
salon du colonel, où l'on m'a présenté des albums.
Le coup de l'autographe. Les tiraillements de ma
main, pendant que je m'exécutais, m'ont alors
rappelé une chose qui me tourmentait avant votre

lettre, et que vous ne savez pas encore : j'ai la
crampe, Irène, je ne suis peut-être plus qu'un in-
firme ; peut-être mes doigts ne courront-ils plus
jamais sur les cordes ; peut-être n'éveillerai-je
plus les âmes de mon Guarnerius et de mon Montagnana ; peut-être vais-je perdre ma voix au
moment où je vais cesser d'entendre la vôtre...

« Maintenant, je suis seul, j'ai quitté ces étrangers.
Les retrouverai-je demain ? Ou seront-ils fondus
dans le brouillard qui montait ce soir de l'Océan ?...»

« C'est comme je vous le disais hier, Irène !
Sans vous, le monde est une lanterne magique,
que le montreur a oublié d'éclairer. Aucune forme
ne se dessine : à peine si l'on distingue des taches
fantomatiques sur ce fond obscur. Ce qui est se
confond avec ce qui n'est pas. Est-ce que je vis
encore, parmi tant de spectres ? Est-ce que je
suis sûr de mon être ? Comment puis-je aller, venir,
causer, avec l'idée que je ne vous verrai plus ?
Car, quoi que vous disiez à la fin de votre lettre,
je ne vous verrai plus. Je ne pourrai jamais avoir
pour vous les yeux que vous voulez ; et si vous
avez désormais pour moi ceux que vous dites,
j'aime mieux n'en plus rencontrer le regard. Alors,
laissez-moi végéter parmi ces fantômes !

« A la fin de la matinée Maud est venue me
tenir compagnie, sur le pont, pendant que je regar-
dais la mer. Elle a une belle voix émouvante. Elle
sait dire de jolies paroles. La plupart de ses com-

pagnes de route sont déjà malades, le roulis étant
assez fort. Elle résiste. Elle m'a expliqué qu'on
résiste à tous les maux par la volonté. Voilà qui
vous conviendrait, n'est-ce pas ? Elle soutient
aussi que le mal n'existe pas, ou que du moins on
peut toujours le changer en bien, moyennant un
léger effort. C'est une théorie américaine. On l'appelle la *mind-cure*. Miss Maud est une fervente de
la *mind-cure*. Elle lit de gros livres qui en rap-
portent les miracles : on guérit des paralytiques
et des ivrognes, on transforme la tristesse en joie,
le désespoir en sérénité, on se délivre de ses maladies, de ses soucis, de ses chagrins.

« — Mais vous, mademoiselle, lui ai-je dit,
vous n'avez certainement jamais eu besoin de la
mind-cure : vous ignorez les maux qu'elle supprime.
C'est peut-être pour cela que vous croyez tant à
son efficacité.

« Elle a un peu rougi, et m'a répondu :

« — Tout le monde a de petits malheurs, de
petits malaises : je crois à la *mind-cure* dans les
grandes choses, parce que je l'ai éprouvée dans les
petites. Et puis, tout le monde aussi rencontre
des gens qui ont besoin d'un secours en esprit.
Alors, c'est pour eux qu'on agit : on sent leur mal,
on leur donne la force d'y résister.

« Elle a dû me trouver l'air sceptique ; elle a
ajouté, en me regardant de ses beaux yeux lim-
pides :

« — Si vous étiez malade, par exemple, ou si

vous aviez un grand chagrin, je crois que je pourrais beaucoup pour vous.

« — Comment cela ?

« — Rien qu'en vous persuadant qu'il faut accepter ce qui est, sans se tourmenter, parce que tout est bien !

« N'est-ce pas à peu près ce que vous me dites, Irène ? Vous aussi, vous voulez qu'on s'incline à sa destinée. Miss Maud ne me convaincra pas davantage ! Elle semblait attendre une confidence. Je ne lui en ai fait aucune. Qu'est-ce que cette enfant, avec son âme d'aurore, peut savoir de mon couchant ? Qu'est-ce que son petit cœur innocent peut deviner des orages du mien ? Aucun des lourds problèmes que vous avez cru résoudre, en me disant adieu, n'existe pour elle. C'est une petite chose candide, l'ombre d'une fleur qui glisse sur mon chagrin.

« Sa jeune tante, Mme Fryar, est bien différente. Pendant que le colonel, dont la grosse figure est toujours congestionnée, avale des cocktails ou joue au poker, elle traîne à sa suite un cortège de soupirants. Quand elle traverse le pont, tous les hommes se retournent : on devine que leur gorge se sèche rien que de rencontrer le regard de ses yeux, qu'elle le sait et qu'elle en est fière ! A la fin de l'après-midi, elle a quitté sa cour pour venir se balancer dans un rocking-chair à côté du mien. Jamais elle ne s'est préoccupée de l'action de l'âme sur le corps, celle-là ! Elle ne pense à soulager les maux de personne : je suis sûre qu'elle ne connaît d'autre sentiment que l'orgueil de sa beauté, et le besoin continuel d'en exercer la puissance. Sa volonté doit être un faucon bien dressé, qui fond sur sa proie dès qu'il y voit clair. Elle parle peu. Elle ne dit que des choses insignifiantes. Elle les dit d'une voix impérieuse, irrésistible, qui s'adresse à l'instinct. Ses gestes sèment le désir ; ses attitudes, ses regards, ses sourires l'enveloppent de volupté. Elle est restée près d'une heure avec moi. Comme je ne disais rien, elle parla plus que d'habitude. Elle parla même beaucoup. Mon indifférence l'étonnait. A la fin, elle m'a lancé de sa voix de commandement :

« — Vous jouerez, ce soir, n'est-ce pas ?... Pour moi ?

« Son indiscrétion m'a tout à coup rappelé mon autre tourment, cette crampe dont la terreur me poursuivrait toujours, si je pouvais penser à autre chose qu'à votre lettre, Irène ! Aussi lui ai-je répondu, sans ménagement :

« — Non, madame, je ne fais pas de musique entre mes concerts !

« Elle s'est levée comme une impératrice à qui son chambellan manquerait de respect, et m'a foudroyé des yeux en s'éloignant. C'est une créature violente, tenace, dominatrice, exigeante et perfide, Aphrodite, Astarté, Vénus Verticordia. Mais pas plus que les autres, elle ne peut rien sur moi !... »

« J'ai passé deux jours dans ma cabine, fuyant ces gens trop bruyants pour ma tristesse ; je me suis mis à lire le livre de M. Jaffé. Vous savez que je ne suis guère philosophe, comme vous dites ; aussi aurais-je eu beaucoup de peine à fixer mon attention sur ces longues pages, sans l'intérêt direct qu'elles ont pour moi. Je comprends pourquoi vous m'en recommandiez la lecture ! Fatigué par ma tournée, je n'avais fait qu'y jeter les yeux. Si je l'avais commencé avant votre lettre, je n'aurais peut-être pas été au delà de la préface ; tandis que je l'ai lu jusqu'au bout...

« Ce sont vos idées dont il s'est emparé, Irène ! A moins qu'il ne vous ait inculqué les siennes... Vous êtes très près de lui, très loin de moi. Comment ce déplacement s'est-il accompli sans que je m'en aperçoive ? Depuis deux ou trois ans, je vous voyais changer sur beaucoup de points ; je ne comprenais pas tout le sens de ce travail intérieur, comme j'ignorais ce qui se passait dans l'esprit de M. Jaffé. Je l'ai toujours tenu pour un homme terriblement logique, — la logique incarnée. Je l'aurais cru incapable de se contredire : or, son nouvel ouvrage est en contradiction flagrante avec les précédents. Pendant toute sa carrière, il a été le champion de ce qu'il appelle encore les « droits de la personnalité humaine ». J'abondais dans son sens. Vous aussi. Peut-être ses écrits ont-ils contribué à fixer l'idée que nous avions, vous et moi, de ces *droits de la person-*

nalité, et qu'ils ont ainsi, dans une certaine mesure, conditionné notre vie. Voici que, dans son effort actuel pour les concilier avec ceux de la « collectivité », — oh ! comme je déteste le mot et la chose ! — il les immole entièrement. En vain se débat-il pour paraître d'accord avec lui-même : l'individu, — son idole d'autrefois, — s'anéantit dans sa divinité nouvelle : l'ensemble, l'espèce, la race. On n'existe, à l'en croire, que pour l' « organisme social » ; s'il défend la famille (dont il voulait jadis réduire l'autorité), c'est parce qu'elle est, comme le soutiennent certains qu'il a combattus jadis et dont il se réclame aujourd'hui, la « cellule constitutive » de cet « organisme ». Dieu ! que ces métaphores m'agacent ! De combien d'idées fausses elles sont le véhicule ! J'ai récemment senti frissonner mon âme nationale, en revoyant le drapeau polonais : c'est que l'amour de la patrie est encore de l'amour. Mais qu'est-ce que cet « organisme social » auquel il faut se dévouer ? Je n'en sais rien, Irène, ni vous, ni lui, ni personne. Je soupçonne que c'est un mot, rien de plus, un de ces mots creux qui servent à exprimer les conceptions incohérentes et passagères dont peu d'années font justice.

« Dans cet ordre d'idées, où vous suivez l'auteur, vous devez admirer le chapitre sur *la famille et le devoir social*. Moi, je le trouve absurde, à cause de ce paragraphe où la passion est décrite comme une force « centrifuge » qu'il importe de

réprimer, « dans l'intérêt commun ». — « Comme
l'ivrognerie ! » est-il dit aussi. Vous approuvez la
comparaison ? Alors vous devez approuver encore
l'apologie de la « morale traditionnelle ». Il me
semble que, dans sa *Théorie des Révolutions*, si
je ne me trompe, M. Jaffé démontrait que toutes
les prescriptions de cette morale reposent sur les
intérêts matériels les plus bas, quand ce n'est pas
sur les intérêts possessifs les plus féroces. Pourquoi
sont-elles devenues tout à coup « la sauvegarde de
la dignité humaine » ? Pourquoi, sinon parce que
M. Antonin Jaffé veut résilier une sorte de contrat,
que ses précédentes doctrines avaient sanctionné ?

« C'est pour cette même raison que l'espèce, la
race, l'ensemble, sont institués en une manière
de religion, en une divinité tyrannique et insatiable. Nous avons fait assez de sacrifices à cette
divinité-là pour nous croire en règle avec elle !
L'espèce, la race, l'ensemble ! Vous demandez-
vous, Irène, ce que représentent ces termes abstraits ? Des riens, des fantômes, des ombres pareilles à celles des voyageurs et des matelots qui
glissent sur le pont pendant que je vous écris ;
des millions de petites ombres falotes, inconnues, indifférentes, fluides ; des ombres qui dis-
paraissent après leurs « trois petits tours », comme
dans la chanson enfantine. Dans l'éternelle fluctua-
tion de leur néant, il n'y a qu'une seule vérité :
c'est qu'elles s'unissent selon les lois de l'amour,
qui seules sont inscrites dans le Code de la nature

et seules sont éternelles. C'est *ma* vérité : ce n'est
plus la vôtre. Je ne désespère pas de vous y ramener. Ce fut longtemps celle de M. Jaffé. Il la
renie. Que diront de cette palinodie ceux qui se
sont nourris et leurrés de ses anciens livres ? »

« Je suis remonté sur le pont. La foule des
passagers s'est éclaircie : beaucoup, malades,
restent dans leurs cabines, comme moi pendant
ces deux jours. Au lunch, il n'y avait autour de
notre grande table que le colonel, sa femme, miss
Maud, et deux des jeunes gens. Pendant que nous
prenions le café, notre capitaine s'est approché.
Un gentleman que je ne connais pas me l'a présenté le plus correctement du monde ; et il m'a
prié de jouer, le soir, au profit de la caisse de
secours des matelots. Miss Maud a appuyé sa
requête :

« — Ce sera un tel plaisir pour nous, de vous
entendre encore une fois !

« Mme Fryar a répondu à ma place, en me jetant
un mauvais regard :

« — Malheureusement, M. Lysel ne fait pas de
musique entre ses concerts.

« Il m'a bien fallu avouer mon mal, quelque
humilié que j'en fusse. Personne n'a rien dit :
peut-être parce que les Américains ne parlent
pas de leurs affaires de santé, ou parce qu'on a
cru que je donnais un prétexte. Le capitaine s'est
éloigné sans insister ; je suis resté, très piteux,

au milieu des dîneurs, qui parlaient poliment d'autre chose. Plus tard, vers le soir, comme je me retrouvais seul avec miss Maud, elle m'offrit de me guérir par sa méthode.

« — Il faut la foi, lui dis-je : je ne l'ai pas.

« — J'en aurai pour deux, fut sa réponse.

« Elle m'expliqua son traitement : elle resterait auprès de moi, tranquille, sans parler, en invoquant contre mon mal les forces inconscientes qui sont en nous, pour notre préservation et notre conservation. Et elle me montra là-dessus un gros livre de William James sur l'*Expérience religieuse*, où je crois qu'elle a puisé presque toutes ses théories. — Peu à peu, me dit-elle à peu près, ces forces triompheront ; votre volonté, restaurée par elles, chassera la douleur ; vous cesserez de souffrir, ou de penser à votre mal, et vous retrouverez l'usage de votre main ! — Elle était bien jolie en parlant ainsi, la gentille petite prêcheuse ! Pourtant, je n'ai pas accepté. Mon refus manquait de galanterie, ne trouvez-vous pas ? Une Française s'en serait offensée. Elle m'a dit gravement :

« — Eh bien ! j'essaierai de vous guérir sans votre aide, même quand je ne vous verrai plus !

« A ce moment, j'ai pensé à mon autre mal, le plus douloureux, celui que vous m'avez fait, qu'elle ignore et ne pourrait comprendre. Le soleil tombait à l'horizon, derrière nous, dans une mer agitée, qu'il incendiait. Une fois de plus,

je me suis rappelé notre soirée d'Umspunnen,
cette soirée qui me hante comme si le signe de
ma destinée s'était alors dessiné sur les glaciers
de la Jungfrau ; je lui ai dit :

« — Pouvez-vous empêcher la lumière de mourir,
comme elle va mourir tout à l'heure ? Pouvez-vous
empêcher l'ombre nocturne de s'étendre sur la
mer ?

« Elle a réfléchi un instant, et m'a répondu :

« — On ne peut arrêter ni la nuit ni la mort ;
mais on doit croire qu'elles sont toutes deux
belles et reposantes, qu'elles viennent quand il le
faut, que nous devons les aimer comme on aime
la lumière et la vie, en bénissant Celui qui nous
les envoie.

« Et je n'ai pas pu lui dire ce que je pensais :
que j'entrerais sans regret dans l'ombre de la
mort, mais que je ne puis sans défaillir de tristesse renoncer à la seule lumière qui réchauffe
mon crépuscule... »

« J'ai reçu votre lettre, Irène. Je la sais par
cœur. Malgré cela, j'y découvre toujours des
choses nouvelles. Vous dites que vous auriez
mieux aimé que la mort se chargeât de nous
séparer, puisque la séparation devenait nécessaire. Vous ne me convaincrez jamais de cette
nécessité, je vous le répète ! En revanche, je crois
avec vous que cette tâche méchante n'appartenait
qu'à la mort. Vous vous êtes manqué à vous-

8

même en l'usurpant. Il y a des choses qu'on ne doit pas demander à la vie, je vous l'accorde : ainsi en était-il du bonheur complet que nous n'avons jamais réalisé. Mais il y a aussi des nœuds que la mort seule peut trancher, — et le nôtre était de ceux-là. Nous *devions* attendre son appel. Il serait venu : elle frappe plus souvent trop tôt que trop tard. Elle nous aurait fait grâce quelque temps encore ; peut-être aurait-elle choisi l'heure la moins cruelle, ou nous eût-elle emportés ensemble, comme il arrive, dit-on, quelquefois. Mais il ne fallait pas toucher nous-mêmes à notre destinée, il fallait la laisser s'accomplir en dehors de notre volonté. Dans toute votre lettre, Irène, il n'y a que cette seule phrase que je veuille retenir. Je l'interprète ainsi : jusqu'à la mort, malgré la vie... »

« Comme on doit atterrir au petit jour, on s'est dit adieu ce soir, entre passagers. Je crois qu'à ce moment, nous nous sommes tous aperçus que nous n'étions vraiment que des inconnus, impénétrables les uns aux autres. La bonne Maud m'a souri avec un peu de mélancolie et m'a dit :

« — Tâchez d'avoir un tout petit grain de foi : vous verrez qu'en pensant à vous, je vous ferai du bien.

« — Et puis, au dernier moment :

« — A Paris, nous descendons à l'hôtel X..., maman et moi. C'est un hôtel très américain.

Venez nous voir, vous croirez que c'est encore
l'Amérique !

« Mme Fryar, quand j'ai pris congé d'elle, a
planté son regard dans le mien, et m'a dit :

« — Moi, je suis au Grand-Hôtel. Je compte
sur vous.

« Il me semble que ces deux femmes représentent tout ce qu'un homme peut attendre de la
femme : l'une promet la paix d'un heureux foyer
où la fuite des jours est tranquille, l'autre offre
l'orage et la volupté. A les voir si rapprochées,
et si différentes, on pense que la vie est riche
infiniment, qu'aucune douleur ne saurait la briser,
qu'elle répand sur nous, comme une urne intarissable, des promesses et des désirs qui se renou-
vellent aussi longtemps que nous pouvons nous
prêter à ses métamorphoses. Peut-être aurais-je
pu choisir entre les deux : mes rebuffades ont
impressionné Mme Fryar, et j'attire cette bonne
petite âme de Maud par le chagrin qu'elle pressent
en moi. Peut-être vous-même m'auriez-vous engagé
à choisir. J'ai seulement pensé que, demain, ces
deux passantes vont s'évanouir comme les autres
dans le crépuscule du matin, d'un matin gris,
d'un matin triste, — du matin qui aurait pu
être celui du jour radieux où je vous eusse revue...

« Vous seule êtes vraie, Irène, et je tends en
vain les mains vers vous ! »

« Je poursuis cette longue lettre, Irène, sans

savoir si je vous l'enverrai. Les figures de la traversée se sont dispersées en touchant la côte
d'Europe : les unes à Southampton, d'autres au
Havre, d'autres à la gare de l'Ouest, où j'en ai
vu glisser deux ou trois dans l'entassement des
bagages. Maintenant, je retrouve des visages
mieux connus dont plusieurs m'étaient familiers,
autrefois.

« J'ai revu Louise : ma tristesse et mes devoirs
d'amitié s'accordaient à me conduire d'abord
auprès d'elle. Ce n'est pas sans peine que je l'ai
découverte : elle n'a plus ni son appartement ni
son nom. Elle n'a plus rien, elle existe à peine.
Le pauvre Hugo, dans son ignorance des gens et
des choses, a négligé de prendre aucune disposition
pour lui assurer l'avenir. Aussitôt sa dernière tâche
remplie, elle a été chassée par des héritiers inconnus,
accourus du fond de l'Alsace pour rafler l'argent,
les meubles, les bibelots, les papiers. Ils ont
couronné leur œuvre en lui faisant défense, par
exploit d'huissier, de porter le nom de celui qui
l'aimait tant ! Tout cela, au nom de ces lois dont
M. Jaffé se plaît maintenant à démontrer la sagesse.
Elle s'est alors trouvée à la rue : les associations
mutuelles, dont Hugo fut membre, ne pouvaient
rien pour elle, parce qu'elle n'est pas « la veuve ».
Elle a partagé toute l'existence du vieux maître,
elle l'a remplie, elle s'est donnée jusqu'à l'âme,
elle s'est épuisée à son chevet pendant sa longue
maladie, elle lui a fermé les yeux. N'importe !

L'état civil n'ayant pas inscrit leur union sur ses registres sacrés, elle n'est qu'une « concubine », et voit se dresser contre elle, avec la paperasserie qui représente l'ordre social, les règlements qui le soutiennent, les groupements qui le corrigent ou le complètent, tout son outillage, tous ses appareils, tous ses organes. Une fois de plus, je me suis indigné contre l'hypocrisie de ces institutions, où le mensonge des formes et des apparences prime la vérité des sentiments et des faits. Et puis, j'ai pensé que vous n'auriez point partagé ma colère : vous les avez acceptées, vous vous inclinez devant elles, vous nous sacrifiez tous les deux à leurs exigences. Pendant qu'elles passent entre nous comme une lame froide pour nous séparer, vous dites peut-être : « C'est justice ! » Et vous appelez cela les leçons de la vie !... Ah ! la vie m'apprend autre chose, Irène ! Elle m'apprend la révolte : si je forme un dernier vœu, c'est celui de la braver. Il eût été si facile de lui résister, à nous deux !... »

« Je me suis arrêté hier sur un thème qui m'aurait conduit à de vaines plaintes...

« Ma seconde visite fut pour mon médecin. Il ne veut pas d'électricité, lui : des massages, des frictions, des douches. Mais il est d'accord avec l'autre pour exiger le repos complet. A peine me permet-il d'écrire un peu. Il me défend de jouer. Il m'a surtout défendu de penser à mon mal... A quoi donc veut-il que je pense ?... Je ne pouvais

lui dire : « Si je ne pense pas à ce mal-là, cher
monsieur, qu'on peut combattre, que vous croyez
guérissable, — je penserai à l'autre, toujours, à
celui qui échappe à votre diagnostic, et à votre
« thérapeutique, et qui est plus terrible, et qu'au-
« cun médecin ne saurait attaquer... » Et si j'avais
ainsi parlé, cet homme eût été fort surpris.

« En rentrant chez moi, j'ai regardé mes vio-
lons, ces vieux amis, — ces derniers amis qui
m'ont tant de fois consolé et ne chanteront peut-
être jamais plus sous mon archet : mon cher
Giuseppe del Gesù, avec sa belle volute ouvragée
qui me fait toujours penser à des ornements de
Bernin ; mon Montagnana, dont vous aimiez le
son puissant, qui a été mon fidèle compagnon de
voyage ; mon Maggini, plus sévère, qui convenait
si bien aux grands morceaux du vieux Jean-Sébas-
tien. C'est si affreusement triste, Irène, tout ce
qui finit ! Ce moment où la vie se désagrège, où
l'on voit disparaître ses amis, où l'on sent mourir
des morceaux de soi-même, ses nerfs, ses muscles,
son cerveau, où les forces diminuent, où le cœur
même ne bat plus avec la même vigueur ! De
quelle triple cuirasse d'indifférence il faut être
ceint, pour pouvoir vieillir ! Et c'est ce crépuscule,
c'est ce moment où tout s'assombrit que vous
choisissez pour m'abandonner !... »

« Vous m'avez défendu de chercher à vous
rejoindre. C'est bien, Irène, je reste ici. J'ai voulu

du moins savoir où vous êtes : serait-ce vous
désobéir ? Je suis donc allé chez votre mère, qui
revient de Nice ou de Monte Carlo. Il n'y a jamais
eu beaucoup de sympathie entre elle et moi.
Mais à qui m'adresser ? Elle est un peu malade,
et ne sort pas : un rhume. Rien de grave, je pense.
Elle a paru fort surprise que j'ignore votre rési-
dence. « Vous ne savez donc pas où ils sont, Lysel ? »
J'ai lu dans ses yeux cette pensée : « Ce grand
amour finit comme les autres ! » Et j'ai deviné
qu'elle pensait cela avec une satisfaction malicieuse. Nous l'avons beaucoup étonnée, parce
qu'elle n'avait jamais conçu un attachement
comme le nôtre ; son étonnement cesse ; elle se
réjouit de nous voir rentrer dans la loi commune. Du reste, elle ne s'est pas fait prier pour
me renseigner, et m'a dit qu'elle vous croyait à
Ravenne. Il est vrai qu'elle a aussitôt ajouté : « Je
n'en suis pas sûre, je ne garantis rien, il y a plusieurs jours que je suis sans nouvelles. » Si bien
qu'en la quittant, je la soupçonnais de m'avoir
donné un faux renseignement, dans l'idée que
vous m'aviez « lâché », — comme elle doit se
dire, — et que j'allais vous poursuivre et vous
obséder. Et voici que je reçois ces fleurs, qui
viennent de vous, et confirment ce qu'elle m'a
dit ! Qui m'enverrait des fleurs, sinon vous ? Et je
les reconnais bien, celles-là : ce sont les petites
orchidées sauvages qui poussent dans la pinède.
Vous les avez cueillies sous les vieux pins solen-

nels, dans ce magnifique paysage que je me souviens de vous avoir vanté. Que veut dire cet envoi ?...

« Ce n'est pas la première fois que vous empruntez ainsi, pour me parler, le langage des choses. Vous rappelez-vous, pendant mon premier voyage d'Amérique, cette boucle de cheveux que vous m'avez envoyée sans y joindre un seul mot ? Nous étions séparés comme aujourd'hui, — à ceci près que nous étions d'accord pour trouver la séparation nécessaire, et qu'en comptant sur elle pour régler notre cœur, nous sentions bien qu'elle ne mettait entre nous que l'Océan. Pourtant, j'étais inquiet, des chimères m'assaillaient, je voulais savoir ce qui se passait en vous. Je rompis alors notre vœu de discrétion : je vous écrivis avec plus d'abandon, je vous dis mon tourment. Cette boucle de cheveux fut la réponse. Elle est là, je la regarde, je la baise, je lui demande ce qu'il faut penser de ces fleurs, si leur message est le même que celui qu'elle m'apporta jadis. C'est que je ne suis plus sûr de comprendre : les années ont passé, vous n'êtes pas tout à fait la même, votre volonté à mis entre nous quelque chose de plus que l'espace.

« Connaissez-vous la belle légende de la pinède, Irène ? C'est un conte de Boccace. Le marquis Asmadei me l'a conté autrefois. Asmadei est un charmant Ravennate que vous voyez certaine-

ment, s'il est en ce moment dans son beau vieux
palais : sa maison est hospitalière, et il est un
guide incomparable. Nous nous promenions sous
les pins augustes, dans se sublime décor de tristesse,
de poésie et de majesté. Voici l'histoire en deux
mots : le fantôme d'un chevalier brun poursuit
celui d'une belle jeune fille, qu'il éventre, lacère,
livre à ses chiens, et qui ressuscite pour recommencer éternellement ; il s'était suicidé pour elle ;
au lieu de l'aimer, l'indifférente s'était réjouie
de sa perte ; c'est pourquoi la justice divine l'a
livrée à sa vengeance. Asmadei est un fantaisiste
pittoresque et audacieux. Je me rappelle qu'il me
répéta plusieurs fois une phrase du texte, qui
signifie que la pauvre fille *avait cru bien faire*
en désespérant ce malheureux par sa cruauté, et
qu'en conséquence, elle ne s'était ni repentie, ni
confessée de ce crime. En sorte, concluait Asmadei,
qu'elle expiait ainsi une erreur où l'avait poussée
la fausse morale du monde. Et j'entends encore
la voix ironique de mon compagnon répéter :
« La morale, cher monsieur, la morale ! Vous voyez,
« c'est pour avoir trop écouté la morale qu'elle
« est déchirée par les deux mâtins ; tandis que si
« elle avait écouté l'amour... Ah ! cher monsieur,
« vous qui êtes jeune, écoutez toujours l'amour... »

« Peut-être Asmadei vous a-t-il raconté cette
belle légende ? Et j'imagine qu'il vous en a de
même montré la leçon : il est de ces hommes qui
osent tout penser, tout dire, qui sont très profonds

sur un ton léger. L'avez-vous comprise, Irène ? En avez-vous senti l'éternelle vérité, — tellement plus humaine que celle qui vous attire vers le renoncement et l'oubli ? Est-ce parce que vous l'avez sentie que vous m'avez envoyé ces fleurs, — cueillies aux lieux mêmes où coula le sang de cette cruelle ?... Ces fleurs silencieuses m'appellent-elles auprès de vous ? ou ne sont-elles qu'une parcelle de votre pensée que vous m'envoyez comme une aumône ?... Je veux le savoir, hélas ! et je ne peux pas lire dans votre âme !... Ces pages, que j'hésitais à vous envoyer, vont partir : elles vous diront qu'on n'arrache pas un amour qui ne veut pas mourir. Je vous les adresse ici, chez vous. Elles suivront. Vous me répondrez. Vous voyez que je suis le même. Je le resterai toujours. Voulez-vous être seule à changer ? »

A peine sa lettre partie, Lysel reçut ce télégramme, de Jaffé :

« Madame Jaffé, gravement malade, désire vous voir. Venez à Ravenne, casa Baronio, via Romolo Gesso. »

Avant de prendre l'express du soir, il put encore courir chez Mme Storm : elle était plus souffrante, ne savait rien, ne songeait pas à partir.

QUATRIÈME PARTIE

I

DANS LA PINÈDE

DANS ces conflits intimes où la passion se heurte
à des forces qui la contrarient, la compriment
ou l'exaspèrent, en déchaînent les fureurs ou l'endi-
guent comme un torrent vaincu, il arrive qu'une
âme s'efforce en vain de terminer la lutte, se délivre de ses chaînes par un acte de sa volonté et
demeure attachée à leurs tronçons, esclave avec
les apparences de la liberté, appartenant tout
entière à l'amour qu'elle a cru détruire, et perdant
toute sa force pour avoir dominé sa faiblesse. Cet
état se trouvait être celui de Mme Jaffé. Son énergie avait exécuté l'acte de la délivrance : son cœur
fidèle ne parvenait pas à se dégager. Pendant tout
l'hiver, elle avait remis de jour en jour l'accom-
plissement de la décision prise ou subie au lendemain du départ de Lysel. Tantôt elle cherchait à
y préparer son ami par le ton de ses lettres, tantôt
par le silence. Chaque fois qu'elle prenait la plume
à son intention, elle se demandait avec l'angoisse
d'une condamnée : « Est-ce aujourd'hui que je
parlerai, ou puis-je attendre encore ? » Elle attendait, par crainte d'être cruelle, en se reprochant

d'être lâche. Et, toute à cette obsession, elle suivait
de ville en ville sa fille et son mari, grave, douce et
retenue, pareille d'aspect à ce qu'elle était toujours,
si différente dans son cœur qu'elle se reconnaissait
à peine. A côté d'elle, M. Jaffé, l'esprit alerte,
toujours maître de soi, ne semblait avoir d'autre
souci que d'expliquer à Anne-Marie les merveilles
que déroulait leur voyage : ce voyage qui, pensait-il, résoudrait pacifiquement les problèmes de
leur vie. Quant à la jeune fille, si jamais elle avait
eu quelque vrai pressentiment de ces problèmes,
elle les croyait sans doute résolus déjà par le seul
départ : et, écartant toute idée importune, elle
s'ouvrait avec ardeur aux révélations du monde
enchanté de l'art et de l'histoire. Ni l'un ni l'autre
ne soupçonnait l'agonie que leur tranquillité de
cœur ne pouvait sonder ni pressentir. Auprès
d'eux, Irène restait donc seule, plus seule que si
elle avait erré sans aucun compagnon à travers
les magnificences qui défilaient sous ses yeux
distraits. Ils l'écartaient sans y songer. Avec une
impitoyable candeur, ils parlaient d'eux-mêmes
en disant *nous*, sans s'apercevoir qu'ils l'isolaient
ainsi toujours davantage. Anne-Marie disait, par
exemple :

— Maman, *nous* allons demain au musée ; vien-
dras-*tu* avec *nous* ?

Irène usait d'un langage correspondant :

— *Je* reste à l'hôtel, cet après-midi ; avez-*vous*
des projets ?...

Un jour, Anne-Marie s'écria étourdiment :

— Oh ! maman, nous avons tant de plaisir, et toi, tu as presque l'air de t'ennuyer !...

De même, c'était à sa fille que M. Jaffé communiquait quelques-uns des nombreux articles qu'il recevait sur son livre, quand il n'en gardait pas l'impression pour soi seul. On le discutait avec la violence que soulèvent les œuvres sincères, dans les temps agités. Les libres penseurs traitaient l'auteur d'apostat, parce qu'il rompait avec leurs partis pris et se dégageait de leur tyrannie ; les conservateurs le saluaient comme une recrue inespérée, parce qu'il soutenait quelques-uns des points de leur programme ; un journal annonça sa conversion imminente ; un autre affirma qu'il allait à Rome demander la bénédiction du Pape. Il lisait ces choses sans étonnement ni colère, un peu ému pourtant de voir ce que l'intérêt, la discorde, la haine civile, l'intolérance et le fanatisme découvrent dans le simple travail d'un chercheur désintéressé.

— Poursuivre la vérité par ces jours de troubles, disait-il, c'est vouloir pêcher des perles dans la tempête. Heureux les esprits simplistes qui ne perçoivent que deux couleurs dans l'arc-en-ciel, et jurent que tout ce qui n'est pas de l'une est de l'autre ! Ils se trompent toujours dans leur jugement ; mais ils ne s'aperçoivent jamais qu'ils se sont trompés...

Des semaines passèrent ainsi, sans une allusion

au vrai but du voyage. M. Jaffé en avait arrêté
dans son esprit la durée à trois mois : un délai
que sa modération estimait suffisant pour préparer la guérison. Comme ce terme approchait,
il proposa discrètement à sa femme de fixer le
moment du retour. Irène parut aussi surprise que
si elle n'avait jamais songé à cette éventualité :

— Déjà ! s'écria-t-elle... Déjà !... Pourquoi sitôt ?... Non, non, restons encore !

Ils étaient alors à Sienne, depuis une semaine.

— Ici ? fit M. Jaffé, d'autant plus surpris qu'Irène
ne semblait s'intéresser à rien.

— Ici, ailleurs, où vous voudrez !... Tout ce que
je vous demande, c'est de prolonger le plus possible... Je vous en prie, ne rentrons pas à Paris
avant l'automne !

Au premier mot, elle s'était troublée ; sa voix
trahit sa crainte. Son mari posa sur elle, un instant, un regard qui la sondait. Comprenant que
la blessure gardait son venin, il dit avec plus de
douceur :

— Nous ferons ce qu'il vous plaira de faire...

Ce fut quelques jours plus tard qu'Irène écrivit
sa lettre d'Assise, après avoir longtemps pleuré
dans l'église obscure où les vieux maîtres ont
caché leurs chefs-d'œuvre. La lettre partie, elle
n'éprouva pas le soulagement que les chirurgiens
promettent à leurs malades après l'opération.
Au contraire, elle souffrit de son sacrifice, comme

on souffre, dit-on, d'un membre amputé. L'action qui, la veille, lui semblait généreuse, lui parut au lendemain lâche et pusillanime. Elle s'accusa de trahison. Elle se reprocha d'avoir frappé de loin. Elle se représenta la stupeur de Lysel, confiant aux promesses de leur dernière promenade, sûr de la retrouver fidèle. Elle sentit repousser dans son propre cœur les vivaces racines de l'amour mal arraché. Elle espéra que sa lettre se perdrait dans le long trajet. Une lettre de Lysel, qui l'avait croisée sur l'Océan et vibrait du bonheur du revoir prochain, augmenta son désespoir. Sans se l'avouer, elle souhaita que son ami ne se résignât pas, qu'il répondît, qu'il accourût. Sur un signe de lui, elle eût alors changé une fois encore, secoué le joug qu'elle avait repris, ou même, d'un effort tardif, rompu tous les liens que sa jeunesse avait subis.

— Cependant, des journaux annoncèrent le retour du voyageur. Comme il ne donnait aucun signe de vie, elle trouva qu'il se résignait trop facilement : au lieu de s'en réjouir pour lui, elle s'en désola pour elle. Son âme incertaine restait ainsi ballottée aux vents contraires qui la déchiraient.

Les doux paysages de l'Ombrie, aux lignes pures, aux arbres grêles, les saintes légendes qui sommeillent au fond des sanctuaires, les paisibles images des madones nimbées d'or, contrastaient durement avec son désespoir. Aussi accepta-t-elle avec empressement d'émigrer à Ravenne. Les polémiques soulevées par son livre suggéraient à

M. Jaffé, dont l'esprit travaillait toujours, l'idée
d'un *Essai sur les haines civiles* : il pensa qu'il
recueillerait de précieuses notes dans une des
cités qu'elles ont le plus cruellement ensan-
glantées.

— Et puis, dit-il en regardant sa fille, c'est
autre chose que tout ce que *nous* avons vu jusqu'à
présent !...

Un ami commun les avait munis d'une intro-
duction auprès de ce marquis Asmadei, dont Lysel
leur avait souvent parlé, et qui mit à leur service
son obligeance alerte et renseignée. Avec son aide,
ils louèrent en meublé cette *casa Baronio* qui fut
jadis, dans la nuit du 29 janvier 1576, le théâtre
d'un des drames les plus épouvantables d'une
époque où le drame entrait par toutes les portes :
le massacre de la famille Diedi par les sicaires de
Girolamo Rasponi, vengeant ainsi l'abandon de
sa sœur :

— Un cadre approprié à vos méditations, cher
monsieur ! disait Asmadei en montrant à M. Jaffé
la petite maison, rouge comme ces souvenirs, avec
sa puissante porte cintrée et son élégant balcon
vénitien... Ils ont tué jusqu'à des voisins imprudents qui se risquaient aux fenêtres !... Un pauvre
homme, madame, un pauvre homme appelé
Cristoforo Morigi, — l'histoire a conservé son
nom ! — qui voulait savoir pourquoi l'on faisait
tant de bruit... Ah ! ce n'est pas pour rien que les
Rasponi ont mis dans leurs armoiries les griffes du

lion : ces griffes-là n'ont pas été souvent oisives !...
Nous vivons dans des temps plus doux, mademoiselle,
même à Ravenne : de nos jours, ici comme ailleurs,
on épouse qui l'on veut, sans craindre la tragédie ! »

Le marquis Asmadei était un grand vieillard de
haute mine, disert, paradoxal, lettré, de vaste culture. Dernier descendant d'une famille dont le
nom revient à chaque page dans les *Annales* de
Fiandrini, il condensait en sa svelte et preste personne la sagesse sceptique acquise par ses aïeux
en dix siècles d'histoire. Descendus d'Allemagne
avec Othon, les Asmadei, rivaux parfois des Rasponi, dont les griffes sanglantes s'abattirent
maintes fois sur eux, étaient de race affinée, pacifique. Ils avaient fourni plus de savants, de
prélats illustres, de diplomates souvent utilisés par
Venise, que de capitaines ou d'aventuriers : le dernier de leur souche était un esprit subtil, un fantaisiste exquis, dont la pensée avait les bonds les
plus déconcertants. Merveilleusement renseigné
sur les moindres détails du passé de sa ville, il en
faisait les honneurs avec une intarissable abon-
dance d'anecdotes, d'aphorismes, de bons mots,
de compliments. M. Jaffé, suivant sa méthode, se
mit à le feuilleter comme un livre, lui posant mille
questions sans parvenir à déconcerter une verve
intarissable, et notant les réponses avec plus de
bonne foi que de sens critique :

— Vous êtes à vous seul une bibliothèque,
monsieur ! lui disait-il quelquefois.

— Dépareillée, monsieur, dépareillée, corrigeait le marquis. Il y manque bien des tomes, et il n'y en a pas un où des mains méchantes n'aient arraché quelques pages...

Anne-Marie, qu'il comblait de fleurs, l'eut bientôt pris en affection. Irène elle-même l'écoutait avec un certain plaisir disserter sur les légendaires aventures de la « Madone grecque » ou sur celles de la bienheureuse Margherita Molli, dont Fiandrini raconte, à l'année 1504, le miraculeux ensevelissement, ou sur le sublime tombeau de la romanesque et mystérieuse Galla Placidia, ou sur la tête de Gaston de Foix dont la ressemblance est douteuse. Souvent aussi le marquis, toujours expliquant et racontant, tantôt sérieux, tantôt drôle, les emmenait dans son automobile à travers la large plaine partout semée de tragiques souvenirs. Une partie fut ainsi organisée pour Rimini. Mais Irène, se sentant lasse au moment de se mettre en route, déclara qu'elle ne les accompagnerait pas. Asmadei protesta vainement :

— Comment, madame, vous ne viendriez pas avec nous ?... Est-il possible ?... Dans la ville de Paolo et Francesca ?... Respirer le parfum d'amour qu'ils ont laissé ? les derniers effluves de leur légende ?... Vous n'aimez donc pas l'amour, madame ?... Ciel ! qui peut ne pas aimer l'amour !...

Elle tint bon : la course était longue, l'automobile la fatiguait. Peut-être aussi se réjouissait-elle

de rester seule avec ses pensées... Un beau soleil
printanier versait des rayons déjà tièdes sur les
toits des vieux palais, sur leurs jardins entourés
de hauts murs que dépassent les cimes des cyprès
ou des magnoliers, sur les places découpées en
quadrilatères, et pénétrait jusqu'au fond des rues
dallées où se défient les portes à lourdes ferrures,
fermées par la haine, où s'appellent les balcons
finement ciselés, ouverts pour l'amour. Vers le
milieu de l'après-midi, cet irrésistible soleil attira
Mme Jaffé hors de la petite maison rouge. Par
l'étroite rue de Mentana, elle gagna la place du
Vingt-Septembre, où des marchandes vendaient
leurs légumes sous les fenêtres du palais Pasolini,
autour de l'aigle des Caetani, puis la place Victor-
Emmanuel, que décorent les pilastres de la maison de ville et les deux élégantes colonnes dont
Pierre Lombard sculpta les bas-reliefs. Pour la
première fois depuis longtemps, elle se surprit à
goûter la saveur de l'air, printanière, délicieuse,
avec un léger arome frais et salé qui venait de la
mer. Un cocher s'offrit. Elle monta dans le vieux
fiacre aux coussins éventrés. Comme l'homme lui
demandait où la conduire, elle répondit machinalement :

— A la pinède de Classe !

Le véhicule résonna sur les dalles bruyantes.
Il suivit les faubourgs populeux qui s'allongent
après la Porta Nuova. Il traversa le pont du Montone, en ce moment fort bas, comme épuisé. Il

passa devant Saint-Apollinaire, dont la forme barbare se dresse au milieu des terres de labour, des rizières, des prairies que coupent de longues files de jeunes peupliers, tandis qu'au loin les premiers essaimages de la pinède s'avancent comme une ligne prudente d'éclaireurs. Le cheval famélique allait bon train : on fut bientôt à l'orée de la forêt. Le cocher prit à gauche avant le canal, suivit au pas un sentier toujours plus étroit, s'arrêta. Irène alla se perdre parmi les arbres. Replantés il y a peu d'années, après le gel qui dévasta les futaies, les jeunes pins repoussent, touffus, sur les deux rives de l'eau lente et brune où jouent des reflets, où roulent avec d'incompréhensibles remous des paquets d'herbes et de joncs. Des ronces, des genêts, des genévriers mêlent leurs buissons aux pins sylvestres, souvent tordus ou rabougris, tandis que les pins parasols, plus espacés, dressent de place en place leurs cimes augustes, qui font penser à des têtes royales chargées de gloire et de soucis. Il n'y avait autour de la promeneuse que du silence, à peine rompu par quelques pépiements d'oiseaux, ou par de passagères rafales qui traversaient les branches avec des voix d'orgue. Et la tristesse de ce paysage était belle, apaisée et sereine. — Le hasard de sa marche, le long d'un sentier qui se perdait quelquefois, conduisit Irène dans une clairière fleurie de pâquerettes, de violettes tardives, de ces petites orchidées dont les figures lui parlèrent aussitôt. Il y en avait de

plusieurs sortes : des « sabots de Vénus », des
« abeilles », bien d'autres dont les minuscules
formes rudimentaires se développent et se préci-
sent dans les serres des jardiniers. Elle en ignorait
les noms, mais elle en comprit le langage. C'étaient
des fleurs animées, vivantes, conscientes presque,
plus proches de nous que les anémones ou les
primevères, des fleurs qui semblent douées de
fantaisie, que le destin conduit ou transforme,
que l'art embellit, qui savent peut-être qu'elles
s'épanouissent ou se fanent, que la pluie est
glaciale ou que le soleil est chaud, des fleurs qui
sentent la joie de vivre ou la peur de la mort
courir dans leurs fibres, et dont certaines ont dû
naître des gouttes de sang répandues sur la terre
noire, sur la bruyère, sur la mousse, dans ces lieux
où tant de fois les mâtins du suicidé ont déchiré
les belles chairs de celle qui ne sut pas aimer. En
les voyant éparses autour d'elle, Irène eut tout de
suite l'idée d'en envoyer à Lysel : il comprendrait
ce qu'il voudrait comprendre, il interpréterait à
sa guise cette rupture du silence convenu, — cet
appel ou cet adieu qui traverserait l'espace, — il
accourrait peut-être, il accourrait sans doute...
Oh ! qu'il vienne ! qu'il vienne ! qu'il vienne !...
Elle eut bientôt amassé sa récolte. Jamais fleurs
ne furent cueillies avec plus d'amour. Jamais fleurs
n'eurent message de porter au loin des pensées plus
secrètes et plus tendres, que les mots n'auraient
pu dire, que leur muet langage saurait exprimer.

Longtemps encore, les mains chargées de sa cueillette, Irène erra dans l'antique forêt. Le soir tombait. L'eau du canal paraissait plus brune. Les nobles têtes des pins noircissaient dans l'air gris. Des souffles froids les inclinaient par moments, chargés d'une humidité pénétrante, de cette humidité de plaine et de marécages qui charrie la fièvre. Irène en sentit tout à coup le frisson dans ses os. Échappant d'un effort à l'emprise des choses, elle regagna sa voiture, en remontant le canal. Elle n'avait rien pour se réchauffer. Le cocher, la voyant glacée, lui prêta sa couverture. Et le maigre cheval la ramena très vite, dans la nuit qui s'étendait sur les rizières, changeant Saint-Apollinaire en un immense fantôme au suaire en lambeaux.

Les fleurs partirent le soir même. Mais ce frisson de l'ombre et de la nuit, ce frisson que soufflait peut-être l'haleine des morts semés partout dans la plaine, ce frisson de la forêt enténébrée, ne quittait plus Irène. Elle avait froid de tout le froid que les approches du soir répandent dans l'espace, de celui que la vie injectait dans son cœur. Elle avait froid d'être seule, d'être loin de l'amour, de s'être baissée sur la terre humide, d'avoir cueilli ces fleurs dont les tiges rompues gluaient comme du sang. Elle avait froid d'aimer encore et de ne plus vouloir aimer, de désirer l'amour et de n'oser et de ne pouvoir l'appeler. Elle avait froid de tout ce qui se glaçait dans son âme. Elle s'enveloppa dans ses châles, avec la tête qui lui faisait mal, les frissons qui la secouaient, de vagues idées de maladie et de mort parmi lesquelles revenait celle-ci : « Il aura eu mon dernier geste, ces fleurs lui porteront mon âme » ; et cette autre, qui fut bientôt insistante comme un refrain : « Le revoir !... Le revoir encore une fois !... une dernière fois !... »

Quand elle entendit s'arrêter l'automobile devant la maison et grincer les gonds de la vieille porte, elle voulut aller au-devant des promeneurs. Elle ne put. Elle retomba dans son fauteuil. Ils l'y trouvèrent toute pâle, presque évanouie.

— Qu'avez-vous donc ? lui demanda M. Jaffé pendant qu'Anne-Marie l'entourait de ses bras.

Elle tâcha de se remettre, de sourire, d'expliquer :

— De la fatigue... J'ai été... dans la pinède...

— Au couchant, je suis sûr, sans rien pour vous couvrir !...

Un demi-délire brouilla ses idées :

— Il y avait des fleurs..., fit-elle, des fleurs qui vivent..., des fleurs qui ont du sang...

Sa voix était si étrange, ses yeux si hagards, qu'Anne-Marie s'effraya :

— Maman, maman, qu'est-ce que tu dis ?

— Elle a de la fièvre, fit M. Jaffé en lui prenant le poignet. Il faut un médecin.

Mais Irène se domina, par un suprême effort de cette volonté qui veillait toujours.

— Ce n'est rien..., fit-elle en rendant des caresses à sa fille. Un peu de vertige... Cela passera...

Ses doigts jouèrent un instant parmi les cheveux dont la couleur était celle qu'avaient eue les siens, son regard chercha dans ces yeux plus foncés le secret de la continuité de l'être, de l'enchaînement des destinées.

— Cela va déjà mieux ! fit-elle en se raidissant, ne vous inquiétez donc pas !

— Vous auriez mieux fait de nous accompagner, observa posément M. Jaffé, qui se rassurait. La course était fort belle : ce temple d'Isotta est une merveille, qui ne ressemble à rien de ce qu'on connaît. Toute la Renaissance, ma chère amie ! Et je vous aurais empêchée d'être imprudente.

Dans la nuit, une foudroyante hémoptysie révéla la présence d'un mal très grave. Elle fut suivie d'un affaissement qui dura deux jours. Puis, les forces revinrent. Ce ne fut qu'une rémittence : un médecin célèbre, mandé de Bologne pour seconder le vieux docteur amené par Asmadei, donna peu d'espoir. Quelques heures après cette visite, Irène appela son mari, fixa sur lui ses yeux de douleur, puis cessa de le regarder, et murmura :

— Faut-il mourir... sans le revoir ?

La dépêche fut lancée aussitôt.

II

REVOIR

POUR comprendre l'angoisse de Lysel, il faut
avoir traversé beaucoup d'espace pour joindre un
être profondément aimé, sur qui l'on sent planer
la mort. Il faut avoir maudit la lenteur des chemins de fer, les arrêts dans les gares, les encom-
brements, les retards des correspondances, les
mille obstacles qui prolongent la torture de l'attente pendant que s'enfle et vole l'obsession de
l'esprit. De telles heures comptent plus que les
années : si les cheveux n'y blanchissent pas toujours,
le cœur s'y noue comme un membre que trop de
douleurs ont déformé.

L'antique capitale de Théodoric reste en dehors
des lignes directes comme elle est en dehors du
monde actuel, enfoncée dans d'obscures histoires
comme dans la plaine qui, de siècle en siècle, gagne
lentement sur la mer. — Ayant manqué le seul
bon train de la journée, Lysel descendit jusqu'à
Rimini, d'où l'express de Rome lui permettrait
d'arriver un peu plus tôt. A peine pensa-t-il, dans
la fraîcheur d'une aube grise, au drame éternel

qu'évoque le nom de la ville des Malatesta. Immobile dans une salle d'attente vernie à neuf, ou arpentant un quai brumeux en regardant l'horloge, il s'abandonnait au jeu terrible des hypothèses. C'était toujours la même qui triomphait dans son esprit hagard : Irène morte sans l'avoir revu, en l'attendant, en l'appelant peut-être. Combien de fois, dans leurs meilleurs moments, l'épouvante d'une telle douleur les avait-elle traversés soudain ! Il se rappela qu'un jour entre autres, aux premiers temps de leur amour, un jour qu'ils venaient de jouer ensemble une simple et gracieuse et souriante sonate de Mozart, il avait lu cette angoisse dans les yeux d'Irène, comme elle avait pu la lire dans les siens. D'où venait-elle, l'idée affreuse qui représentait pour eux le point suprême de la souffrance : mourir séparés, s'en aller dans l'inconnu sans emporter une dernière vision de la figure bien-aimée, rester seul sans avoir bu le dernier regard des yeux éteints ? Comment avait-elle pu sortir tout à coup des rythmes légers, de l'aimable mélodie ? Il fallait qu'elle jaillît des fonds ténébreux de nous-mêmes, où l'avenir se prépare et s'esquisse en signes indéchiffrables dont l'obscure divination nous ébranle parfois. C'était alors le plus torturant des pressentiments ; à présent, c'était la réalité terrible...

Enfin, le train l'emporta, à travers le paysage qui semblait sortir d'un sommeil de fièvre, la plaine qu'appauvrit le vent de l'Adriatique, les lambeaux de pinède qui subsistent autour des clairières où se montrent quelques cultures, quelques bestiaux, d'humbles maisons. Son angoisse s'était épuisée : il avait la tête vide, comme après une crise aiguë. En sautant du wagon, son bagage abandonné au portier de l'hôtel, il se fit conduire à la maison Baronio ; il était sûr, sûr absolument d'arriver trop tard.

Avec ses fenêtres closes, le rouge de ses murailles dont la teinte rappelle celle du sang corrompu, cette maison avait l'air méchant que prennent parfois les demeures des hommes où la douleur s'est abattue. Un valet de chambre italien ouvrit la lourde porte, qui jadis avait accueilli les sicaires de Girolamo. Lysel, haletant, demanda :

— Madame ?...

Le domestique gesticula, roula ses yeux expressifs, répondit dans son dialecte romagnol que Lysel n'entendait pas. Aux gestes, il devina pourtant qu'elle vivait encore. Un flot d'espoir chassa la crainte : une de ces réactions soudaines, comme il s'en produit dans les tensions nerveuses les plus violentes, le jeta d'un extrême à l'autre. Le cauchemar se dissipa : il la crut sauvée, et rassuré, presque joyeux, se laissa pousser dans un salon où les meubles étaient dorés, les tentures usées, les parois décorées de tableaux noircis dans leurs cadres ornementés.

M. Jaffé l'y rejoignit presque tout de suite. Il semblait tel que toujours, dans son habituelle

redingote boutonnée, avec sa figure impassible,
à peine un peu plus grise, son œil vigilant, ses
traits paisibles que l'inquiétude pinçait imper-
ceptiblement. Lysel lui tendit la main : il la prit,
et la garda un instant sans rien dire, comme on
garde la main d'un ami qu'on retrouve dans une
heure solennelle. Ce simple geste marquait la
défaite de l'âpreté, de l'amertume, de l'égoïsme
exigeant et brutal qui sont comme la vase ou le
limon de nos âmes. Aussi clairement que les plus
claires paroles, il répondait d'avance à la question
que balbutia Lysel :

— Comment va-t-elle ?

M. Jaffé hocha la tête, sans un mot.

— Mais qu'est-ce que c'est donc ?

— Une pneumonie très grave, croit-on... Pire,
peut-être : on n'est pas fixé...

Et il se mit à raconter le début de la maladie,
sa marche, son temps d'arrêt, l'aggravation des
symptômes, l'inefficacité des remèdes essayés. Il
parlait avec son exactitude et sa minutie accou-
tumées, en savant qui se trouve d'emblée à l'aise
dans n'importe quel compartiment de la science,
en chercheur patient, perspicace, dont on ne peut
tromper ni la curiosité ni la clairvoyance. Aussi
brusquement qu'il s'était rassuré tout à l'heure
à la pantomime du domestique, Lysel fut rejeté
dans son désespoir.

— Alors..., tout est perdu ?...

M. Jaffé fit un geste évasif.

— Les médecins ne disent pas cela, répondit-il.

Puis il se reprit, avec scrupule :

— Du reste, ils ne le disent jamais : c'est une méthode. Tant qu'il y a un souffle de vie, il faut lutter, en gardant l'espoir, qui est un soutien...

Comme il prononçait ces paroles, Anne-Marie entra doucement, par la porte entr'ouverte. Elle était en jupe et tablier d'infirmière, toute à sa tâche, les yeux cernés de fatigue. Comme son père, d'un même geste spontané, confiant, presque affectueux, elle vint tendre la main à l'arrivant :

— Nous vous attendions, monsieur Lysel !

Quelle force invincible recèle donc la mort pour écarter ainsi, dès ses premières approches, les rancunes, les soupçons, les haines qu'entretient la méchanceté de la vie ? Suffit-il qu'on la pressente ou la devine, pour qu'aussitôt les cœurs pliés aux dures leçons de la lutte humaine se redressent dans une liberté plus pure ou dans un élan généreux ?...

— Tu viens de chez maman ? demanda M. Jaffé. Crois-tu qu'elle puisse recevoir *notre ami ?*

Le mot n'étonna pas la jeune fille, qui répondit aussitôt :

— Je vais le lui demander, père !

C'était infiniment simple : toutes les barrières élevées entre ces êtres tombaient comme de vains mirages. La douleur et l'affection faisaient le miracle. Aucune parole ne s'échangea entre les deux hommes pendant la brève absence d'Anne-Marie. Ils restaient à côté l'un de l'autre, comme

deux frères qui depuis longtemps savent tous
leurs secrets : M. Jaffé plus maître de son émotion, Lysel plus dominé par la sienne. Mais s'ils
avaient parlé, ils n'auraient échangé que des
paroles de sympathie et de pitié. La jeune fille
revint en disant :

— Maman peut vous recevoir un petit moment,
monsieur Lysel... Venez : je vous montre le chemin...

La réalité n'est presque jamais qu'un constant
démenti infligé à nos craintes comme à nos es-
poirs : pas plus que la joie, la douleur ne répond
à l'image que nous en dessinons d'avance ; quand
elle arrive, si redoutée qu'elle soit, de quelque
main de fer qu'elle nous opprime, nous trouvons
pour la supporter des provisions de forces igno-
rées. Toutes les émotions s'atténuent, par cela
seul qu'elles sont : jamais leur plus extrême violence n'atteint l'intensité que notre imagination
leur prêtait. Ainsi, tout à l'heure, dans ce train qui
l'amenait si lentement, Lysel se figurait la possibilité du revoir qu'il admettait encore, — et d'y
penser, son cœur cessait de battre et se tordait.
Voici cependant qu'il s'approchait d'Irène, — qu'il
la voyait sur ces oreillers d'où sa tête ne se soulevait
plus, — qu'il voyait ses yeux le chercher avec
cette expression de détresse infinie qu'ont les
yeux des mourants, — voici qu'il la voyait, inerte,
toute proche de l'agonie ; et le sol ne manquait
pas à ses pieds, son visage restait calme, il continuait à respirer, à sentir, à vivre. Il remarqua que

la maladie l'avait peu changée : dans la pénombre de la chambre, les rougeurs de la fièvre trompaient sur la couleur du teint ; nul amaigrissement n'était visible ; on l'aurait crue doucement assoupie, sans la faiblesse endolorie de son abandon, sans le détachement de son regard déjà fixé sur l'invisible, sans le sceau que les approches de la mort imprimaient sur sa face. Anne-Marie et M. Jaffé redoutaient pour elle l'émotion de cette entrevue : elle n'eut pas un tressaillement. Leur revoir fut aussi naturel que s'ils s'étaient quittés la veille. Irène tourna lentement ses beaux yeux vers son ami, remua la main sur la couverture pour appeler la sienne, murmura :

— C'est vous !...

— Oui, c'est moi, c'est moi... Vous voyez, je suis venu... Je suis là !...

Anne-Marie et M. Jaffé s'éloignèrent à pas de velours : nul ne songeait plus à disputer à ces deux êtres si près de l'éternelle séparation, le secret des choses intimes qu'ils avaient encore à se dire. Et, délivrés de toute crainte pour la première fois peut-être, ils se regardaient en silence...

Tous deux auraient voulu parler, s'ouvrir le monde inexprimé des chères pensées qu'en tant d'années de tendresse ils n'avaient jamais librement formulées, se montrer jusqu'au tréfonds leurs âmes plus étroitement unies après le vain effort d'Irène pour les séparer, si proches l'une de l'autre à cette heure qu'elles s'aspiraient et se

9

fondaient en une seule âme, réalisant aux portes
de la mort le rêve d'union parfaite inaccessible
à l'amour. Mais les mots sont impuissants à transcrire des sentiments si intenses, qui restent hors de
leurs formules comme ils sont déjà presque hors
de la vie, et que leurs moules déformeraient
comme un masque banal appliqué sur un visage
divin.

— M. Jaffé m'a informé de votre maladie, expliqua Lysel. J'ai voulu venir.

Elle murmura :

— Merci !

Il regrettait déjà ses paroles : ainsi justifiée,
sa présence inquiéterait Irène. Il essaya de prévenir
cet effet.

— J'ai voulu venir..., reprit-il, non que je sois
inquiet, mais... pour vous revoir plus tôt... Et je
resterai, si vous permettez... Je resterai jusqu'à
ce que vous soyez mieux...

Elle le regarda, et sourit. Nulle parole n'aurait
pu rendre l'expression de ce sourire si doux, si
résigné, plus faible qu'une lueur mourante qui
saurait qu'elle va mourir, tout chargé de tendresse
et de reconnaissance.

— Merci ! répéta-t-elle.

Puis elle dit :

— Asseyez-vous là !...

D'un léger mouvement de ses doigts, qui s'agitèrent sur la couverture, elle montrait une chaise
à côté du lit. Lysel obéit et lui prit la main.

— Je veux vous parler... pendant que je peux...
encore !...

Elle s'arrêta. Ses yeux errèrent autour d'elle
avec une expression plus angoissée, comme s'ils
cherchaient des choses invisibles, ses lèvres frémirent comme elles frémissaient autrefois aux
légères impressions de la vie, aux souffles puissants des émotions. Sans doute, un vol de pensées
se pressait dans son esprit ; mais elles se déformaient
ou se dissipaient à l'haleine de la fièvre comme des
nuages dans le vent, et ses forces défaillantes ne les
retenaient pas. Elle parut lutter un instant, avec
peine, contre l'envahissement de cette obscurité ;
puis elle renonça ; dégageant sa main qu'elle agita
dans un geste de défense contre un invisible ennemi,
elle murmura :

— Le mensonge !...

Lysel n'attendait pas ce mot qui n'assombris-
sait pas jadis l'aurore de leur amour, et qui, depuis
que le crépuscule approchait, les poursuivait
comme un cri d'oiseau nocturne. Jamais il n'avait
compris tout à fait cette haine intransigeante du
mensonge, qu'il acceptait, lui, comme une rançon
fatale, tandis qu'Irène brûlait d'en dégager leur
amour. Il la partagea soudain, puisque l'éternel
ennemi obsédait encore cette pauvre âme, à l'heure
où les reflets de la vie pâlissaient dans son pur
miroir.

— Le mensonge ! s'écria-t-il dans son ardent
désir de l'en délivrer, mais il n'y en a plus trace

dans notre air !... Voyez ! je suis auprès de vous
du consentement de tous !... On m'a appelé : ma
place est ici... Rien ne nous séparera plus désormais... Rien ni personne !... Je ne vous quitterai
pas... Je resterai jusqu'à votre convalescence...
Nous la ferons ensemble !... Je vous emmènerai
où vous voudrez... Tous verront que nous ne sommes qu'un !...

Elle fixa les yeux sur un point de l'espace,
comme si elle voyait déjà s'y dessiner une grande
ombre menaçante ; ses lèvres frémirent ; sa main
découragée se souleva et retomba sur la couverture.

— Je ne peux plus parler ! fit-elle.
— Ne dites rien, ne vous fatiguez pas : je sais
tout ce que vous pensez... Je le sais !... Je le lis
en vous... Je le pense aussi... Nous pensons ensemble !...

Les plis du front, la crispation des traits révé-
lèrent un effort, une lutte, une révolte peut-être ;
puis ces signes disparurent, le visage se détendit,
le front se rasséréna. Comme autrefois dans leurs
plus belles heures, Irène et Lysel se turent longuement, dans une communion parfaite. Il n'y
avait plus entre eux les barrières, ni les obstacles
de la vie : des étrangers, des devoirs, des lois, le
monde. Rien ne les séparait plus. Ils voguaient
ensemble sur une eau limpide, dont le courant les
emportait vers l'île chimérique que leurs vœux
avaient tant appelée. Irène, calmée, s'assoupit,

ferma les yeux avec une expression presque heureuse. Lysel la contemplait en songeant : « Elle mourra, je ne la verrai plus !... » Cette phrase affreuse, en se répétant d'elle-même dans son esprit, perdait peu à peu son sens et sa menace. Ce n'était qu'une ritournelle dont on est trop las pour l'entendre. Ce n'étaient que des mots vides, accouplés par le hasard, qui ne veulent rien dire. Et ils revenaient toujours : « Elle mourra, je ne la verrai plus !... »

Comme ils étaient ainsi, Anne-Marie entr'ouvrit la porte, pour appeler Lysel :

— Ne restez pas trop. Vous pourriez...

Elle s'interrompit, tant le tableau qui s'offrit à sa vue respirait le calme et la paix.

— La fatiguer ? acheva Lysel. Regardez-la !...

Il étendit la main sur la malade, dont les paupières ne se soulevèrent pas.

— Elle dort ? demanda la jeune fille. Il y a si longtemps qu'elle n'a pas dormi. Oh ! laissons-la reposer !...

Obéissant à son geste d'appel, Lysel la suivit au salon. M. Jaffé, installé dans un des grands fauteuils dorés feuilletait un magazine : incapable de lire, il tâchait du moins de lutter contre l'obsession en distrayant ses yeux.

— Vous allez à votre hôtel, je suppose ? dit-il à Lysel, dont il remarqua tout à coup la tenue en désordre. Revenez quand vous voudrez !... Il ne faut pas la fatiguer. Mais elle pourrait vous demander.

Anne-Marie ajouta :

— L'hôtel est à deux pas : à son moindre signe,
on vous ferait appeler...

Dehors, Lysel marcha sans regarder son chemin.
Machinalement, il prit par l'étroite rue Cairoli,
creusée entre les vieux palais serrés dont les rez-
de-chaussée abritent des boutiques. Sous les ar-
cades de la place Victor-Emmanuel, il se trouva
face à face avec Asmadei. Il aurait passé sans le
voir ; mais le marquis le reconnut avec surprise,
et l'arrêta :

— Est-ce bien vous, mon cher monsieur Lysel ?... Est-il possible ?... Comment ! pas en Amérique ?... Pas en tournée triomphale ?... Vous êtes à
Ravenne, dans ma ville, et je ne le sais pas !...

Lysel aimait ce vieux gentilhomme, original et
charmant. Il l'avait rencontré maintes fois en divers lieux : à Paris, à Rome, à Montreux. Quelques
années plus tôt, il avait même passé trois jours
dans son palais de la rue Cavour, et visité gaîment
avec lui cette admirable ville où il allait errer
maintenant, la mort au cœur, sans rien regarder.
Mais à cette heure, enfoncé dans son deuil, il restait
muet et décontenancé, sans trouver une phrase
de banale politesse à balbutier.

— Vous êtes à Ravenne et vous n'êtes pas
chez moi... ! reprit le marquis avec son habituelle
volubilité. Que voulez-vous que je pense de
cela ?... Il me vient des idées, ah ! toutes sortes
d'idées !... A votre âge, cher monsieur, car vous

êtes jeune, vous !... Avec votre figure, avec votre gloire !...

Lysel ayant fait un geste de dénégation :

— Non ?... Alors, vous seriez à l'hôtel, sans raison... spéciale..., comme le premier venu ?... A l'hôtel, à l'hôtel, est-il possible !... Les hôtels ne sont pas faits pour les hommes comme vous, cher monsieur !... surtout ceux de cette ville !... Vous allez venir dans ma maison : elle est modeste, vous savez, mais elle est à vous !... Je fais chercher votre bagage à l'instant...

Lysel put enfin l'interrompre, presque suppliant :

— Non, non, je vous en prie...

Il ajouta, les yeux remplis d'angoisse :

— Je ne suis pas en voyage d'agrément, cher monsieur. J'y suis venu pour... pour un ami malade...

— Oh ! pauvre cher, comme je vous plains !... Un ami malade !... C'est si affreux de voir souffrir ceux qu'on aime !... Il y a de l'espoir, je pense ?... Je souhaite que ce ne soit pas comme pour cette pauvre jeune femme qui est ici maintenant !... Mme Jaffé, la femme de l'illustre Antonin Jaffé... Une si belle personne, et si parfaite !... Elle est perdue, elle expire, cher monsieur !... Et son mari...

Il s'arrêta net : Lysel, le visage crispé, venait de lui saisir le bras, en s'écriant :

— Vous dites qu'elle est perdue...

Le geste, la voix, l'attitude expliquaient tout.

Asmadei essaya de retirer ses imprudentes paroles :

— Hé ! cher monsieur, je n'ai pas voulu dire cela ! Non, non, je vous assure... Que puis-je savoir, moi ? Rien, n'est-ce pas !... C'est une impression, tout au plus... Vous me connaissez, mon cher, vous me connaissez bien : l'imagination part, elle va, elle va, et les mots viennent, et je ne sais plus ce que je dis !... Mais le médecin n'est pas désespéré : il a raison, je crois qu'il a raison, je le crois fermement...

Honteux de s'être livré, Lysel balbutia de confuses explications : M. Jaffé, un vieil ami, le sachant en Italie, l'avait appelé à l'aide, dans son désarroi... Arrivé tout à l'heure, et sortant de la maison Baronio, il restait sous le coup de sa première émotion... Il ne s'attendait pas à trouver la malade dans un état si grave... Et puis, la fatigue du voyage...

Asmadei le laissait parler. Sa mobile figure, si facilement ironique, exprimait l'inquiétude, la tristesse. la compassion ; il approuvait de la tête pour dire qu'il acceptait ces prétextes, en faisant :

— Oui..., oui..., oui...

Alors, tout à coup, le cri désespéré d'Irène — « le mensonge !... » — traversa la pensée de Lysel, comme un ordre, comme un appel impérieux ; et la voix s'arrêta dans sa gorge, pendant que l'autre s'efforçait de le rassurer en entrant dans son jeu :

— Ah ! cher monsieur, que vous avez bien fait de venir !... Comme vous avez eu raison !... Comme je vous comprends !... On doit tout à ses amis : c'est si beau, l'amitié !... Ah ! si je pouvais quelque chose pour eux, pour vous-même !... Dans ces moments d'angoisse, on a parfois besoin de quelqu'un... Ah ! cher, je vous en prie, disposez de moi !...

— Remettez-moi sur le chemin de mon hôtel, demanda Lysel.

Il voulait être seul, sans faux-fuyants ni subterfuges, dans la vérité de son désespoir.

III

SANTA MARIA IN PORTO FUORI

PENDANT ces longues journées où les hommes
désœuvrés observent passivement le progrès du
mal que les femmes du moins savent soigner,
Asmadei vint souvent frapper à la porte de la
maison Baronio. Sa sympathie était propice, sa
présence apportait une furtive diversion. L'esprit
très curieux et les formes très discrètes, entré sans
en avoir l'air au cœur même du drame dont il
était, avec les gardes et le médecin, l'unique
spectateur, il arrivait aux nouvelles, affairé, compatissant, abondant en paroles. On le recevait
toujours. Anne-Marie, pour lui, s'interrompait un
instant dans sa tâche d'infirmière. Pour Lysel et
M. Jaffé, c'était comme un répit dans le tournoie-
ment de l'idée fixe qui les emportait. Son adresse
réussissait à les distraire un instant ; ou même,
il leur proposait une courte promenade, qu'ils
acceptaient quelquefois :

— Quelques minutes, pour changer d'air !...
Quelques minutes à peine... Quand les yeux sont
occupés, l'esprit se repose... Il faut que l'esprit

se repose, chers, il le faut à tout prix !... Ici,
voyez ! on ne peut ouvrir les yeux sans que quelque chose les retienne.

C'était vrai. Mais les images qui attiraient leurs
regards n'étaient que des images de mort. Le
tombeau sévère où la gloire de Dante veille parmi
les lauriers, les guettait, à quelques pas de l'hôtel.
Ils visitèrent le palais où Byron vécut ses dernières
semaines d'amour avant d'aller mourir en Grèce,
s'accoudèrent au balcon d'où il avait suivi, avec
une si folle émotion, les péripéties d'un meurtre.
Ils passèrent de longs moments dans cette chapelle
de Galla Placidia où les pierres bleues de la mosaï-
que éclairent comme de vivantes lumières. S'ils
sortaient de la ville, ils rencontraient la rotonde
de Théodoric, délaissée parmi les cyprès et les
roses, monument désolé d'un destin que le crime a
souillé ; ou plus loin, d'un autre côté, sur les bords
du Ronco, la stèle abandonnée qui signale à
l'indifférence des charretiers romagnols le lieu où
tomba Gaston de Foix. S'ils entraient au Musée,
on leur montrait la forte tête brutale du jeune
capitaine, ou cette figure tombale inachevée et
sublime qui seule éternise le nom de Guidarelli.
En les conduisant à Porto Corsini, le long du
Montone que descendaient lentement des voiles
rayées de brique et de jaune, Asmadei leur raconta
la fuite de Garibaldi, traînant son Anita mourante :

— Ils se sont reposés dans cette cabane, chers !...
dans cette cabane que vous voyez sur l'autre rive...

— C'est là qu'elle est morte ? demanda Jaffé, toujours prêt à l'attention.

— Non, non, elle est morte plus loin, dans une ferme Guiccioli, au bruit des coups de feu des soldats autrichiens qui traquaient son mari... Ah ! c'est un bel épisode dans notre histoire : tant de fidélité, tant de courage, tant d'amour !... Elle a aussi sa colonne, comme Gaston de Foix ; mais elle n'est pas délaissée, celle-là : elle ne manque jamais de fleurs ni de couronnes, et le souvenir d'Anita vivra toujours dans le cœur de l'Italie !...

Lysel, lui, n'avait entendu qu'un seul mot, celui qui le suivait partout, celui qui sonnait sans trêve à son oreille, celui qu'on dirait bientôt d'Irène comme d'Anita et comme de tant de pauvres êtres aimés, celui qui mêlait et confondait dans son esprit la foule obscure des vivants d'autrefois. Consacrés par ces colonnes, ces mausolées, ces tombeaux, plusieurs furent illustres et sont tellement oubliés, que Lysel ignorait le peu que l'histoire en balbutie, et jusqu'à leurs noms. Asmadei, au contraire, les connaissait comme s'il les avait rencontrés cent fois dans leurs palais détruits ou sur les places de la ville. Il racontait leurs victoires et leurs défaites, leurs amours, leurs légendes, leurs crimes ; et il concluait, de sa voix qui devenait émouvante, parce qu'il s'émouvait à ces souvenirs :

— Ce sont des morts, chers, des morts, des

oubliés. Ravenne est la ville de la mort et de
l'oubli. Elle est comme un superbe cimetière, où
l'histoire a déposé les dépouilles de tant de héros.
Boccace l'a dit, le premier, je crois, ce grand
Boccace qui a compris tant de choses : Ravenne
« *è quasi un generale sepolcro di santissimi corpi,
e nessuma parte in essa si calca, dove super reve-
rendissime ceneri non si vada* ».

Les édifices eux-mêmes sont morts ou proches
de la mort. Quand ce ne sont pas des tombeaux,
ce sont des basiliques qui n'appellent plus les
fidèles, où l'on a célébré des rites abandonnés,
qu'envahit une eau croupissante, dont s'effritent
les murailles et les mosaïques. Elles surgissent
comme des spectres dans la désolation du paysage
désert. Elles ne s'ouvrent que pour des curieux
et des archéologues. Rien ne survit de ce qui fut
leur cadre animé. Leurs nefs, leurs chœurs, leurs
absides n'entendront jamais plus ni prières ni
cantiques ; et quelques savants sont les derniers à
connaître les noms des princes ou des archevê-
ques qui dorment sous leurs dalles. Dans l'une
d'elles, une suprême image de la mort se dressa
devant les yeux des visiteurs.

Ce fut dans celle que Pier degli Onesti fonda, il
y a neuf siècles, en l'honneur de la Madone, sur
le rivage de l'Adriatique qui, depuis lors, s'éloigne
constamment. On l'appelle Santa Maria in Porto
Fuori. Asmadei devait y conduire Lysel et M.
Jaffé. Empêché au dernier moment, il s'excusa

en leur envoyant son automobile. Depuis la sommaire explication du premier jour, les deux hommes évitaient plutôt de se trouver seuls ensemble. Peut-être hésitèrent-ils à sortir sans ce compagnon précieux. Ce fut M. Jaffé qui insista :

— Nous irons quand même, Lysel, n'est-ce pas ?... Asmadei a raison : il faut prendre l'air, absolument !... J'en ai besoin... Vous aussi... Allons, nous gardons la machine !...

La vieille église se dresse dans la désolation de l'espace que la mer a quitté. A peine si des arbres ou des haies clairsemées revêtent de place en place la nudité des terres noirâtres ou tranchent sur la monotonie des prés sans fin qui l'entourent. Elle est debout dans la détresse, avec son corps principal presque amorphe, son étrange clocher quadrangulaire sortant d'une tour plus massive, les misérables masures où gîtent ses gardiens. Dans les grisailles du paysage, elle a la couleur de la poussière : on la verrait sans surprise s'effondrer comme un tas de sable ou se dissiper comme une fumée. Au bruit de l'automobile qui s'arrêtait en trépidant, une fille loqueteuse et bancale accourut sur ses béquilles. Elle ouvrit avec peine une porte branlante, qui grinça sur ses gonds rouillés. Et les deux promeneurs s'avancèrent entre les piliers des nefs, saisis à la gorge par une impression de vétusté, d'usure, d'abandon, plus poignante ici qu'à Saint-Vital ou qu'à Saint-Apollinaire. Ils s'avancèrent, en cherchant des yeux les peintures célèbres de Giotto, les portraits supposés de Dante, de Guido Novello, de Francesca. Ils n'eurent pas le temps de les découvrir : s'étant dirigés d'abord vers le côté droit de l'abside, ils furent arrêtés net devant la fresque où le vieux maître a peint la mort de la Madone, étendue sous les yeux des apôtres, tandis que le Sauveur reçoit son âme parmi les chants des anges. Effacée par endroits, la peinture n'en ressort pas moins avec toute la vigueur de son profond réalisme. Ce corps déjà raidi sous les étoffes, ces mains effilées dont les doigts sont glacés, cette figure qui garde sa beauté jusque sous le masque de l'agonie, si sereine, si noble, si pure, presque livide parmi les autres figures qu'animent encore les couleurs de la vie, ils l'avaient depuis plusieurs jours dans les yeux. Telle serait Irène demain, après-demain, tout à l'heure ; telle ils la trouveraient peut-être en rentrant ; oui, exactement telle, aussi pâle, aussi tranquille, aussi détachée et immatérielle, pendant qu'esclaves du siècle et de la douleur comme ces apôtres, ils guetteraient la seconde suprême où l'âme achève de s'évaporer...

— Elle lui ressemble ! s'écria Lysel en serrant le bras de M. Jaffé. Ah ! partons !...

Et il s'enfuit jusqu'au fond de la basilique, où il se laissa tomber sur un reste de banc vermoulu. M. Jaffé ne le suivit pas tout de suite : comme figé devant la tragique peinture, il semblait y chercher, de son œil qui sondait toutes choses, le secret même de la mort, le secret de l'âme que Giotto, dans sa foi naïve, montrait là, s'échappant comme un autre petit corps du corps où le sang se glaçait...

Bientôt, les ronflements de l'automobile, qui s'en retournait en avançant avec prudence par le chemin raboteux, troublèrent le silence des champs. Chacun laissait courir ses pensées. Celles de Lysel n'étaient que regret et désespoir : elles s'arrêtaient aux aspects dentelés de la ville, qui s'avançait rapidement contre eux avec ses mausolées, ses palais, ses basiliques ; elles y cherchaient, dans la maison de la mort, la bien-aimée qui allait mourir, et tour à tour la rappelaient à la vie, — comme si l'amour possédait le pouvoir du miracle, — ou s'enfonçaient dans le deuil éternel dont tant de voix criaient l'approche. Celles de M. Jaffé dépassaient cet horizon comme celui de son propre chagrin : dans une lucide rêverie, elles embrassaient et retournaient les problèmes de vie dont tous deux étaient, avec la mourante, les victimes ; elles les poursuivaient dans leurs origines, en mesuraient les contradictions, en pesaient les solutions boiteuses où s'est morfondue la sagesse des moralistes et des législateurs ; et une tristesse indulgente et profonde l'envahissait, pareille à celle qui saisit le plus grand des morts de Ravenne devant le tourbillon des âmes perdues par l'amour, comme s'il eût eu sous les yeux, lui aussi, le tragique défilé de tant de misères.

— Les hommes seront toujours malheureux, murmura-t-il, puisque toujours les appels de leurs cœurs se briseront contre les lois nécessaires !

Il se tourna vers son compagnon, qui ne l'avait pas entendu. De grosses larmes, qu'aucune volonté ne retenait plus, roulaient lentement sur les joues de Lysel. M. Jaffé lui posa la main sur le bras, en disant :

— Écoutez, Lysel, écoutez-moi !...

Comme Lysel tressaillait, il retira sa main, et poursuivit :

— Je crois que nous nous sommes trompés !... Oui, oui, nous nous sommes trompés, tous !... C'est peut-être ma faute... J'ai trop douté de vérités qu'on ne prouve pas, et qui sont à l'action ce que l'idée d'espace est à la pensée... Ce n'est jamais impunément qu'on en rouvre le procès... On s'égare à chercher son chemin à côté de la route que les siècles ont battue... Voyez-vous, il ne faut pas laisser la raison empiéter sur l'expérience : j'ai livré trop de champ à la mienne... Je ne savais pas : on n'apprend à vivre qu'en vivant...

Il se tut, comme pour achever un travail de réflexion dont il ne voulait donner que le résultat suprême.

« Que me dit-il donc là ? pensait Lysel. Que m'importent ces choses ? Irène va mourir, Irène est peut-être morte !... »

— J'aurais dû comprendre que dans ce d
maine, on ne partage pas ce qu'on possède, repr
M. Jaffé en accentuant ses paroles. Le mond
étant ce qu'il est, il faut défendre son bien, c
le donner tout entier.

Lysel l'approuva d'un signe, sans répondre, e
songeant :

« Il a raison : et puisqu'il ne me la donna
pas, il me fallait la lui prendre, la prendre tout
l'emporter comme une proie... Trop tard, à pré
sent : la mort ne fera pas grâce !... »

Avec un tremblement dans la voix, M. Jaff
conclut :

— N'ayant pas su la garder pour moi seul
j'aurais dû vous la donner, puisqu'elle vou
aimait mieux...

Et il serra la main de Lysel, avec force. Celui-c
ne parut pas surpris de cet étrange aveu.

— Cela aurait mieux valu, en effet, dit-il sim
plement.

M. Jaffé ayant de nouveau retiré sa main, i
ajouta :

— Mais moi aussi, je me suis trompé... Mo
aussi !... Je souffrais tant de ma solitude !... Je
n'ai pas vu où j'entraînais la consolatrice... J'a
cru qu'on peut cheminer entre le mensonge e
la vérité : je m'accommodais très bien du com
promis... Et elle, en va mourir... Elle va mourir
de mon erreur, je le sens, je le sais !...

Peut-être, dans le secret de son cœur, espérait-

un démenti, qui ne vint pas. M. Jaffé restait
pensif, les lèvres serrées, les yeux mi-clos derrière ses lunettes :

— Nous sommes toujours les dupes de notre
égoïsme, reprit-il : je ne le sais que depuis quelques jours.. Je me suis cru généreux : je ne l'étais
guère... J'ai cru l'aimer pour elle-même. Illusion !
Je ne l'aimais que pour moi !

Lysel répéta, comme un écho :

— Je ne l'aimais que pour moi..., comme vous !...

Un pli d'amertume vint barrer son visage, et il
ajouta :

— Vous, du moins, vous en aviez le droit.

— Le droit ? répliqua M. Jaffé, où est le droit ?...
Les questions de cœur ne dépendent pas de l'état
civil : un être noble, digne d'amour, appartient à
l'être qu'il aime et qui sait l'aimer...

Sa voix devint extrêmement basse :

— Elle le savait bien, elle !... Elle le savait, et ne
l'a jamais dit !... Elle seule réglait sa vie sans
égoïsme : ce n'est pas pour elle qu'elle est restée
au foyer...

— Comme c'est pour moi qu'elle m'a donné
son cœur : ce pauvre cœur qui s'est déchiré quand
elle a tenté de le reprendre... Vous le savez : elle
a voulu m'en chasser, elle m'a écrit de ne plus la
revoir !

— Je sais !... Il était trop tard : quand un
arbre a poussé trop profond ses racines, on ne
l'arrache jamais tout à fait... Ce fut mon erreur,

Lysel, non la sienne, c'est à moi qu'il vous faudr
le pardonner...

— Ah! s'écria Lysel en lui serrant la main,
elle nous entendait, elle saurait du moins qu
nous l'avons comprise!...

Ils se turent. Ils avançaient très lentement dan
la rue étroite, sous les hauts murs des jardins o
les cyprès et les magnoliers montent vers l
soleil. Le chauffeur stoppa devant la petite maison
rouge, sous la fenêtre d'où l'imprudent Cristofore
Morigi avait voulu assister au massacre.

— Venez, Lysel! dit M. Jaffé en descendant de
voiture. Venez avec moi. Que du moins elle ait la
douceur de vous voir tout près d'elle jusqu'à la
fin, sans que rien vous sépare pendant ces derniers
jours!

Ils trouvèrent Irène dans un de ces bons moments que la maladie accorde à ceux dont elle
joue. Elle semblait moins faible. La fièvre avait
baissé. Des reflets meilleurs traversaient ses
regards. Sa figure se ranimait, comme si de nouvelles ondes de vie battaient dans ses veines. Il
n'en faut pas plus pour rendre un semblant
d'espoir à ceux qui voudraient tant espérer! Elle
avait pris quelques cuillerées de lait des mains
d'Anne-Marie, heureuse de l'avoir soulevée sur
les oreillers. Elle lui avait souri en murmurant:

— Je vais mieux!

Ses yeux cherchaient des visages amis, les
saluaient, les remerciaient d'être là. Ils se po-

èrent avec une nuance d'inquiétude sur Lysel
t Jaffé, qui entrèrent côte à côte, de ce pas
eutré qu'on prend d'instinct pour approcher des
malades. Eut-elle l'intuition que les dernières
races de la rancune et de la jalousie achevaient
n cet instant même de s'effacer dans leurs âmes ?
Devina-t-elle qu'il n'y avait plus à son chevet que
les cœurs purifiés ? L'inquiétude de son regard
e dissipa, elle leur sourit avec une tranquille
confiance, et demanda :

— Dites-moi quelque chose !

Ils se consultèrent du regard. M. Jaffé répondit :

— Nous avons été nous promener tous les deux,
dans l'automobile d'Asmadei. Il n'était pas avec
nous. Aussi, nous avons beaucoup causé, intime-
ment.

— Qu'avez-vous dit ?...

Ses yeux révélaient une angoisse que ses lèvres
n'avaient plus la force d'exprimer. Les deux
hommes se regardèrent de nouveau, sentant qu'il
fallait trouver la parole libératrice que cette âme
attendait peut-être pour s'envoler en paix. Ils
s'approchèrent ensemble du lit. Anne-Marie, avertie
par quelque voix intérieure, s'avança derrière eux.
Ce fut encore M. Jaffé qui répondit, d'un ton
solennel :

— Nous avons dit qu'aucune loi ne saurait
prévaloir contre l'affection. Nous avons dit que
l'amour qui ne s'est jamais menti à lui-même, est

la suprême vérité. Et nous sommes tout à fa
d'accord.

Irène dut comprendre tout le sens rédempte
de ces paroles : ses yeux s'éclairèrent, un souri
passa sur ses lèvres ; elle soupira d'une voix trer
blante de petit enfant :

— Oui... oui...

Puis elle posa ses regards sur les trois chèr
figures qui l'entouraient, comme pour en prendr
en emporter l'empreinte. Longtemps, elle l
contempla de la sorte. Ils ne bougeaient pas. I
n'osaient plus parler. Ils auraient voulu que
moment durât toujours. Cependant, ses idé
durent changer peu à peu, car son expressio
changea. Ses yeux se fixèrent plus intensémer
sur Lysel, demandant quelque chose. Il se pench
vers elle :

— Que voulez-vous ? Oh ! que puis-je...

Elle murmura :

— Je voudrais... vous entendre...

Il lui prit la main :

— Je suis là... Vous voyez !... Je vous parle...

Elle acheva :

— ... jouer !

Il douta de comprendre :

— Vous voudriez... de la musique ?

— Oui... oui...

Il n'y avait aucun violon dans la maison. L'o
s'empressa d'envoyer chez Asmadei. Il accouru
aussitôt, avec un Amati qui dormait dans se

rmoires pleines de bibelots, et un jeu de cordes
cheté en passant :

— Voici !... Je ne sais si ce pauvre violon n'est
as gâté, chers !... Personne ne l'a touché depuis
longtemps !... Sauf la Tua, qui l'a essayé il y a
eux ou trois ans... Elle l'aimait... Ah ! comme elle
oue, cette femme !...

Toutes les cordes étaient cassées. Lysel les
emplaça, de ses doigts qui tremblaient. Puis il
ccorda l'instrument, en répétant avec des sou-
res forcés et navrants :

— Oh ! puisque vous voulez de la musique, cela
a mieux !... N'est-ce pas, que cela va mieux ?...
Dites-le-moi !... dites-le-moi !...

Irène abaissa les paupières, et sourit. Alors, le
hef-d'œuvre du vieux luthier chanta des airs in-
onnus et divins, des airs tantôt désespérés, tantôt
raversés de souffles meilleurs qui s'éteignaient
ans les larmes, des airs où la voix de l'amour
épondait aux appels de la mort. Jamais Lysel
'avait tiré d'aucun instrument des sons plus purs,
amais des thèmes plus riches et plus déchirants ne
'étaient développés dans son esprit peuplé d'har-
nonie. Anne-Marie et M. Jaffé, cachés dans l'ombre
u rideau, la garde hypnotisée au fond de la
hambre, Asmadei resté dans la pièce voisine où
ientôt les domestiques arrivèrent sur la pointe des
ieds, écoutaient dans l'extase, en comprimant
eurs sanglots. Un cœur dépouillait devant eux
ous ses voiles, chantait dans le plus sublime des

langages ses plus profonds secrets, ceux que nul
parole n'auraient exprimés ; de sorte qu'ils remon
taient toutes les phases du long poème d'amour qi
finissait en ces heures, dans cette maison étrangèr
où jadis le crime avait passé... Cependant, la ter
rible crampe tira bientôt les muscles du virtuose
comme avec des pinces brûlantes, lui serra l
poignet, la main, les doigts dans son étau garni d
pointes rougies. Il raidit sa volonté pour la vaincre
Il pensait : « Encore un effort !... Qu'importe en
suite ?... Je lui donne mon dernier chant, tout c
que je suis, tout ce que je fus : personne ne m'en
tendra jamais plus, elle aura eu le cri suprême d
mon archet, le chant suprême de mon cœur...
Cette pensée d'adieu l'aidait à vaincre le mal ; se
doigts continuèrent à courir, les cordes à chanter.

M. Jaffé, dont la figure se crispait d'émotion
laissa échapper ces mots :

— Dieu ! que c'est beau !

Anne-Marie, qui pleurait dans les bras de son
père, leva sur lui ses yeux bouleversés ; formu
lant l'idée qu'il sentait se préciser, toujours plu
claire, dans son esprit, elle dit, entre ses sanglots

— Nous ne savions pas !... Nous ne savion
pas !...

— Nous comprenons si peu de chose ! mur
mura M. Jaffé.

Il fallut que la chanterelle se brisât pour inter
rompre le tragique concert.

Il se renouvela trois fois encore, les jours sui-

ants. Asmadei rôdait autour de la maison pour
attendre : son dilettantisme guettait à la fois des
sensations d'art dont il sentait qu'il n'en retrou-
verait jamais de pareilles, et les moindres phases
du dénouement qui achevait de lui révéler le
drame. Quant à M. Jaffé, dont aucune émotion
ne pouvait paralyser tout à fait la curiosité vigi-
ante, il écoutait, puis courait noter de son mieux
ces airs qui ne ressemblaient à nulle autre musique. Peut-être les connaîtra-t-on quelque jour.
Ils expriment, dans la seule langue appropriée et
accessible à tous, une émotion dont l'intensité
ferait éclater les formes du discours. Tendres,
éloquents, passionnés, déchirants, ils ouvrent
comme une échappée sur l'infini de tendresse où
se plurent deux cœurs qui ne s'épanchèrent jamais
complètement l'un dans l'autre. Leurs notes
vibrent comme des paroles essentielles, qui ne
furent jamais prononcées, et dont l'écho pourtant
ne s'est pas perdu. Si les sens amortis d'Irène les
apportèrent à sa conscience, elle apprit à ce moment que le mystère de l'amour et celui de la
mort ne s'éclairent qu'en se rencontrant. C'est en
se trouvant ensemble aux heures de l'agonie,
quand l'un sent s'échapper les dernières gouttes
de sa source de vie, quand l'autre aspire en vain à
verser dans cette source tarie les ondes inutiles de
son sang, c'est alors que l'on comprend ce que
c'est qu'aimer, ce que c'est que mourir. La vie
avec ses soins, son bruit, ses objets distrayants et

falots, son tumulte, son va-et-vient, sème toujou
quelques disparates entre les cœurs les plus te
drement unis. La mort les enlève comme le ve
égalise les sables en passant. Autour du lit o
elle étend ses ailes, il n'y a plus place que po
l'amour...

IV

DERNIÈRES LUEURS

L'Amati chantait une fois encore : son dernier chant fut une mélodie infiniment douce, sans révolte ni désespoir. Un thème douloureux revenait en des tons différents, comme un sanglot qui recommence, ou se développait avec une lenteur grave, comme une plainte qui n'espère plus d'être consolée. Par moments, une suite de notes plus expressives se détachaient de la trame, comme un cri de douleur, et, sans se prolonger, rentraient dans la plainte lente et plus douce. Les mêmes auditeurs étaient là : Anne-Marie, dont la jeune âme ignorante pressentait la douleur infinie qu'exprimaient les sons, et s'étonnait peut-être devant un tel abîme ; M. Jaffé, les yeux secs et fixes, qui suivait dans son esprit le prolongement de son émotion ; Asmadei qui, ce jour-là, s'avança jusque sur le seuil de la chambre mortuaire, et fut le témoin de la scène suprême.

Lysel, en jouant, songeait au passé : évoqués par la mélodie, des souvenirs glissaient dans son

esprit comme des reflets sur l'eau, ramenant de
images différentes de celle qui s'éteignait sous se
yeux. Il revit Irène à leur première rencontre
quand elle lui était apparue comme un ange d
consolation ; dans le petit salon familier où ell
l'accueillait avec son beau sourire grave ; au bor
d'un glacier, les mains pleines de fleurs alpestre
qu'il venait de cueillir pour elle ; et aussi en de
moments qui différaient à peine d'autres moment
que la mémoire, avec ses caprices, n'avait pa
enregistrés. Il la revit surtout sous les hêtres d'In
terlaken, ce matin d'été où pour la première foi
il avait pressenti le fond vivace de souffranc
qu'elle cachait dans son amour, et sous les mar
ronniers de Saint-Cloud, le soir d'automne de leu
dernier rendez-vous. Ce mot « dernier » sonnai
dans sa pensée, avec le thème musical qui sem
blait le répéter, en même temps qu'à côté de l
pauvre figure, déjà si pareille à celle que Giott
a éternisée sur les murs de la vieille église, sur
gissaient ces autres figures, semblables et diverse
comme les épreuves d'un même modèle, mai
toutes éclatantes de beauté, de vie, de force
et jeunes encore, et tant aimées. Alors, so
chant se mit à l'appeler en accents désespérés
tandis que ses lèvres murmuraient malgré lu
le mot qu'il avait repoussé dans les sentiers d
parc :

— Adieu !... Adieu !...

Irène paraissait calme, les yeux clos, l'haleine

pide, mais presque régulière. Sur un dernier cri
e la chanterelle, elle souleva les paupières, et
urmura de la voix brisée qui ne ressemblait plus
sa voix :

— Vous rappelez-vous... nos promenades ?...

Elle avait entendu, elle avait compris ! Les sou-
enirs mêmes qu'exprimait le violon de Lysel
traient donc encore, apportés par le chant, dans
n esprit où pâlissait la vie. Les fantômes des
eures enfuies l'entouraient aussi. Lysel sentit son
eur se nouer ; l'archet s'échappa de sa main ; il
approcha de celle qui l'appelait d'un regard si
ès de s'éteindre.

— Mon pauvre ami ! dit-elle encore d'une voix
lus rauque et plus faible.

Les autres se cherchèrent des yeux : Asmadei se
tira doucement ; M. Jaffé rejoignit Anne-Marie
ans l'angle obscur où elle pleurait. Irène et Lysel
rent seuls, seuls et tranquilles, plus près l'un de
autre que sous les hêtres d'Interlaken ou les mar-
nniers de Saint-Cloud, plus près qu'ils n'avaient
mais été dans aucun des moments que venait
évoquer la musique, leurs deux âmes si proches,
attirées, qu'elles se fondaient. Ce fut comme si
s fausses teintes de leur amour s'effaçaient toutes,
mme si les dissonances s'en corrigeaient d'elles-
êmes, pour qu'il revînt aux lois d'une divine
armonie. Leur rêve inconciliable avec la réalité,
e rêve d'une affection forgée de ses seuls éléments,
ans autres liens que ceux tissés de sa propre sub-

stance, ce défi lancé à la vie, ce mirage de pala
aérien, de château de brouillards, prenait cor
en cet instant comme s'ils l'eussent enfin touch
Séparés par tant d'obstacles dans le siècle, ils s'a
partenaient aux portes de l'au-delà. Ou plutôt,
n'étaient qu'un seul être, dont il semblait q
l'unique esprit dût s'éteindre au même souff
Sous les yeux de M. Jaffé, sous les yeux d'Ann
Marie, Lysel se pencha sur Irène et la baisa a
front. Ce fut très simple : l'indulgence, la tendress
la bonté rayonnaient comme une lumière célest
Dans cette chambre où jadis les sicaires de Gir
lamo avaient vengé dans des flots de sang u
offense à l'orgueil du maître, il n'y avait plus d
place pour la rancune ni pour la haine. Il n'y e
avait plus que pour l'amour et la vérité. La vérité
Ce mot qui avait hanté Irène comme le plus ina
cessible désir pendant les années où son amou
tâtonnait dans les ombres de la vie, ce mot fu
le dernier qui revint sur ses lèvres. Elle mu
mura :

— La vérité !...

Quel regard pourrait sonder les secrets cach
dans les yeux des mourants ? Des paroles leu
échappent parfois, révélant une si claire conscienc
de ce qui les entoure, un souvenir si net de ce qu
a rempli leurs jours, une si profonde pénétratio
des êtres dont les visages aimés se penchent su
eux ! Mais ce sont des paroles sans suite, pareille
aux notes éparses d'une mélodie qu'égrènerait u

strument à demi brisé. Pas plus que ces notes ne
rmettent de reconstituer la phrase musicale
rdue, elles ne livrent le sens complet de la pen-
e obscurcie qui achèvera bientôt de se dissiper
ns la nuit ; et ceux qui en guettent le vol, penchés
r le front où l'ombre s'étend, ne seront jamais
ut à fait sûrs d'en avoir compris l'augure. Ici,
urtant, la parole unique que répétait Irène avait
 sens si clair, que nul ne put le méconnaître. La
rité se mirait dans ses yeux, elle en avivait les
rnières lueurs, elle pénétrait comme un rayon
squ'à ce pauvre cœur ravagé, qui pour elle avait
nt souhaité de se reprendre, elle attirait dans sa
mière cet être de lumière que la vie avait obscurci,
le l'aspirait comme le foyer suprême où tendent
s vœux, même quand nos pas s'en écartent,
ême quand nous errons dans les ténèbres de
erreur.

Lysel s'agenouilla et lui prit la main.

— La vérité ! dit-il ; elle nous enveloppe, elle
ous aveugle, elle nous inonde !

Poussés par une même impulsion de leurs cœurs,
nne-Marie et M. Jaffé s'avancèrent ensemble
rrière Lysel ; et M. Jaffé lui posa doucement la
ain sur l'épaule, comme dans un geste d'amitié.
ne fois encore, les yeux d'Irène se levèrent sur
ux : les voyant unis dans cet accord où achevaient
e se résoudre les vains conflits de la vie, ils se
efermèrent doucement. Quand ils se rouvrirent,
ur lumière s'était éteinte : glauques et vides, ils

tournèrent dans leurs orbites, et la respiratio
cessa. La Mort triomphait avec l'Amour et
Vérité, comme si, seule, elle possédait le don d
les réconcilier.

FIN

IMPRIMERIE NELSON, ÉDIMBOURG, ÉCOSSE
PRINTED IN GREAT BRITAIN